IFIGÊNIA EM ÁULIS
AS FENÍCIAS
AS BACANTES

A TRAGÉDIA GREGA

vol. 1	SÓFOCLES	*A Trilogia Tebana* Édipo Rei, Édipo em Colono, Antígona
vol. 2	ÉSQUILO	*Oréstia* Agamêmnon, Coéforas, Eumênides
vol. 3	EURÍPIDES	Medéia, Hipólito, As Troianas
vol. 4	ÉSQUILO SÓFOCLES EURÍPIDES	Os Persas Electra Hécuba
vol. 5	EURÍPIDES	Ifigênia em Áulis, As Fenícias, As Bacantes
vol. 6	ÉSQUILO SÓFOCLES EURÍPIDES	Prometeu Acorrentado Ájax Alceste

A COMÉDIA GREGA

vol. 1	ARISTÓFANES	As Nuvens, Só para Mulheres, Um Deus Chamado Dinheiro
vol. 2	ARISTÓFANES	As Vespas, As Aves, As Rãs
vol. 3	ARISTÓFANES	A Greve do Sexo, A Revolução das Mulheres

EURÍPIDES

Ifigênia em Áulis
As Fenícias
As Bacantes

Tradução do grego, introdução e notas de
Mário da Gama Kury

5ª edição

ZAHAR

Jorge Zahar Editor Ltda.
rua Marquês de S. Vicente 99 – 1º | 22451-041 Rio de Janeiro, RJ
tel (21) 2529-4750 | fax (21) 2529-4787
editora@zahar.com.br | www.zahar.com.br

Edições anteriores: 1993, 1997, 2000, 2002

Capa: Sérgio Campante
Composição: TopTextos Edições Gráficas

CIP-Brasil. Catalogação-na-fonte
Sindicato Nacional dos Editores de Livros, RJ

E88i
5.ed.

Eurípides
Ifigênia em Áulis; As fenícias; As bacantes / Eurípides; tradução do grego, introdução e notas de Mário da Gama Kury. — 5.ed. — Rio de Janeiro: Zahar, 2005.
(A tragédia grega; v.5)

Tradução do original grego
ISBN 978-85-7110-254-5

1. Teatro grego (Literatura). I. Kury, Mário da Gama. II. Título. III. Título: As fenícias. IV. Título: As bacantes. V. Série.

04-3080

CDD: 882
CDU: 875-2

Sumário

Introdução

Eurípides nasceu em Salamina (ilha situada nas proximidades de Atenas) provavelmente em 485 a.C. Educou-se em Atenas, onde viveu a maior parte de sua vida. Entre a época de sua estréia nos concursos trágicos atenienses (455 a.C.) e a data provável de sua morte (406 a.C.) Eurípides escreveu no mínimo 74 peças, sendo 67 tragédias e 7 dramas satíricos. Algumas fontes, entretanto, atribuem-lhe 92 peças.

Dessa produção chegaram até nossos dias um drama satírico, *O Cíclope*, e 18 tragédias: *Alceste*, representada pela primeira vez em Atenas em 438 a.C., *Medéia* (431), *Hipólito* (428), *As Troianas* (415), *Helena* (412), *Orestes* (408), *Ifigênia em Áulis* (405), *As Bacantes* (provavelmente 405), e em data incerta *Andrômaca, Os Heráclidas, Hébuca, As Suplicantes, Electra, Heraclés Furioso, Ifigênia em Táuris, Íon, As Fenícias, O Cíclope* e *Resos* (esta última de autenticidade contestada).

As gerações subseqüentes mostraram sensível preferência por Eurípides em comparação com Ésquilo e Sófocles. Tanto foi assim que das 74 ou 92 peças que escreveu, 19 sobreviveram, enquanto das 94 de Ésquilo e das 123 (ou mais) de Sófocles apenas 7 de cada um chegaram até nós.

1. Ifigênia em Áulis

1.1. Enredo da peça. A cena mostra a tenda de Agamêmnon no acampamento dos gregos em Áulis. O exército estava pronto para partir, mas as naus se mantinham imóveis à espera de ventos favoráveis. Calcas, o adivinho da expedição, profetizou que, para os gregos poderem largar em direção a Tróia, Ifigênia, uma das filhas de Agamêmnon, rei e comandante do exército, teria de ser sacrificada à deusa Ártemis. O rei enviou à sua mulher, Clitemnestra, uma mensagem por um velho escravo para mandar a Áulis sua filha, a pretexto de casá-la com Aquiles antes da partida. Vê-se Agamêmnon no fim da noite, consternado e decidido a mandar uma segunda mensagem tornando sem efeito a primeira. Entra em cena o Coro, composto de mulheres de Cálcis, e descreve os passatempos dos diversos heróis para amenizar a inatividade prolongada. Menelau, irmão de Agamêmnon, intercepta a carta e acusa o irmão de traição. Depois de uma discussão áspera, chega a notícia da chegada de Clitemnestra, de Ifigênia e de Orestes, ainda criança. Menelau muda de idéia, mas os irmãos chegam à conclusão de que o sacrifício deve realizar-se. O Coro manifesta-se novamente, cantando o poder de Afrodite, a deusa do amor, e o julgamento de Páris, raptor de Helena, a mulher de Menelau. Agamêmnon saúda sua família com malcontido constrangimento e tenta em vão mandar de volta sua mulher. O Coro se refere ao destino ruinoso que espera Tróia. Aquiles, que procurava Agamêmnon, encontra-se com Clitemnestra; esta, para estupefação do herói, saúda-o como seu futuro genro. Diante do espanto de ambos, o velho escravo interfere e revela a intenção de Agamêmnon. A rainha, desalentada, faz um veemente apelo a Aquiles, que promete defender Ifigênia. O Coro canta as núpcias de Peleu e Tétis, pais de Aquiles. A mãe e a filha imploram pateticamente a Agamêmnon que renuncie à sua idéia, mas o comandante dos gregos, embora desarvorado, está decidido a realizar o sacrifício. Ifigênia se lamenta, levando Aquiles a queixar-se da reação do exército contra ele pelo fato de defendê-la. Há um diálogo entre Aquiles e a rainha; Ifigênia declara que está disposta a morrer pela causa da Grécia e parte para o local do sacrifício despedindo-se da vida. Algum tempo depois chega um mensageiro para descrever o sacrifício, dizendo que no último instante a princesa desaparecera milagrosamente, surgindo no lugar dela uma corça enviada por Ártemis para ser imolada. Agamêmnon reaparece e se despede de Clitemnestra, pois as naus estavam prestes a partir graças à volta dos ventos favoráveis.

1.2. A peça. *Ifigênia em Áulis*, cujo enredo pertence ao chamado Ciclo Troiano, foi representada pela primeira vez após a morte de Eurípides (provavelmente em 405 a.C.), e parece ter sido terminada por um filho ou sobrinho homônimo do poeta. Alguns estudiosos da obra euripidiana pretendem que esta circunstância explica a versão muito discutida de que Ifigênia teria sido substituída no altar do sacrifício por uma corça e levada para Táuris, às margens do mar Negro, pela própria Ártemis, arrependida de sua crueldade para com a heroína. Essa versão, já adotada pelo poeta na *Ifigênia em Táuris*, é mais recente e menos cruel que a consumação do sacrifício de Ifigênia, e condiz melhor com o espírito inovador de Eurípides em sua fase mais madura, fosse ou não uma contribuição do descendente ao dramaturgo. Deve-se aduzir, a propósito do suposto acréscimo, que a parte da tragédia em questão — a descrição do sacrifício pelo mensageiro — apresenta no texto que chegou até nós defeitos de redação e até de métrica, salientados pelos comentadores antigos e modernos. Alguns filólogos, a partir de Boeckh, defendem a hipótese de duas versões: uma do próprio Eurípides, na qual Ifigênia teria sido realmente sacrificada, e outra do filho ou sobrinho de Eurípides, em que teria havido a substituição, como dissemos acima. Até por uma questão de coerência, todavia, o próprio Eurípides teria adotado esta última versão, que a *Ifigênia em Táuris* faz pressupor.

A propósito dessas hipóteses talvez valha a pena lembrar que, depois da tragédia real vivida pelos atenienses no estágio final da guerra do Peloponeso, eles necessitavam de entretenimento menos trágico para evitar a superposição de tragédias na vida real e no teatro. No apogeu do gênero, com Ésquilo, Sófocles e as obras mais antigas de Eurípides, na época gloriosa de Péricles, as tragédias puras no teatro ateniense não turbavam a euforia dos gregos após a guerra e a vitória contra os persas. Note-se que, no estágio final da atividade de Eurípides, *As Bacantes*, encenadas no mesmo ano da *Ifigênia em Áulis*, estrearam em Áigai, na Macedônia ainda semibárbara, para onde começava a deslocar-se a preponderância militar na Grécia. A adição da parte final da peça pelo Eurípides mais novo ou pelo próprio dramaturgo, pode ter sido devida a mudanças de gosto e de estado de espírito decorrentes das derrotas irremediáveis e da conseqüente decadência de Atenas, na época sob governos tirânicos. Essa decadência levaria ao ocaso da tragédia e da Comédia Antiga e ao surgimento da Comédia Nova e de Menandro.

Essas circunstâncias, entretanto, não comprometem a qualidade literária da *Ifigênia em Áulis*, com seus conflitos morais e afetivos, com as hesitações angustiadas de Agamêmnon, seu debate com Menelau, afinal convencido pelo irmão a ponto de as posições se inverterem depois, o diálogo comovente entre Ifigênia e seu pai, a revelação da trama a Aquiles, as réplicas inúteis de Clitemnestra e de sua filha a Agamêmnon, as gestões de Clitemnestra junto a Aquiles, a exasperação deste último e finalmente a decisão heróica da virgem e a descrição do sacrifício, com seus detalhes comoventes (a descrição lembra a do sacrifício de Polixena na *Hécuba*). Toda a peça é uma profunda análise da natureza humana em suas diversas facetas, feita com a genialidade e a arte já soberanamente demonstradas por Eurípides em suas tragédias anteriores. Em síntese, a *Ifigênia em Áulis* é uma obra-prima.

Fica-se imaginando uma supertrilogia de tragédias gregas sobre a mesma lenda e em perfeita seqüência cronológica, e naturalmente nos ocorre uma que seria um deleite para o leitor contemporâneo: a *Ifigênia em Áulis*, de Eurípides, o *Agamêmnon*, de Ésquilo, e a *Electra* de Sófocles, nesta ordem. A leitura seguida dessas três obras-primas nos eleva a alturas dificilmente superáveis em termos de beleza trágica.

1.3. A tradução. Usamos geralmente para a tradução o texto estabelecido por Gilbert Murray e publicado pela Clarendon Press (primeira edição em 1909, reimpressão de 1943), na coleção *Scriptorum Classicorum Bibliotheca Oxoniensis*. Valemo-nos também do texto estabelecido por Henri Weil em *Sept Tragédies d'Euripide*, com introdução e comentário (Paris, Hachette, 1879).

2. As Fenícias

2.1. Enredo da peça. A tragédia inicia-se diante do palácio real de Tebas. Jocasta explica num monólogo que Édipo, já cego, é mantido como se fosse prisioneiro no palácio por seus filhos Etéocles e Polinices, que por isso foram amaldiçoados pelo pai, numa prece aos deuses para que os dois dividissem a herança com suas espadas em punho. Os irmãos combinaram que se revezariam a cada ano no trono, mas Etéocles, decorrido o seu primeiro período, recusou-se a cumprir a palavra; Polinices exilou-se em Argos, de onde voltou mais tarde com um exército contra Tebas. Jocasta conseguiu marcar um encontro dos dois irmãos antes do início da luta. Quando ela se retira, um servidor de Antígona lhe mostra o exército argivo do terraço do palácio, enumerando os chefes das forças atacantes. Em seguida aparece o Coro, composto de virgens fenícias que falavam de sua viagem e de Delfos, para onde vieram de sua pátria distante. Polinices entra cautelosamente na cidade, onde é acolhido com carinho por sua mãe; em seguida aparece Etéocles e os irmãos travam um diálogo áspero e final. O Coro canta os feitos de Cadmo, que plantou os dentes do dragão dos quais nasceriam guerreiros armados. Etéocles é aconselhado por Creonte a pôr um guerreiro distinguido em cada uma das sete portas de Tebas. Ele concorda e confirma o casamento de Hêmon, filho de Creonte, com Antígona, e manda consultar o adivinho Tirésias quanto às possibilidades de vitória na batalha iminente; se Polinices fosse morto, seu cadáver não poderia ser sepultado em solo tebano. O Coro canta um hino a Ares, que trouxe para a cidade a guerra em vez do culto agradável de Diôniso. Tirésias entra com Meneceu, um dos filhos de Creonte, e declara que a vitória só seria possível se o jovem fosse sacrificado. Creonte resolve mandar seu filho embora a fim de salvar-lhe a vida, mas Meneceu toma a decisão de matar-se pelo bem da pátria. O Coro se refere em seguida à Esfinge e canta a história trágica de Édipo e a nobreza de sentimentos de Meneceu. Um mensageiro traz a Jocasta a notícia de que seus filhos iriam enfrentar-se num duelo; ela sai precipitadamente com Antígona para o local do combate singular. Após uma breve intervenção do Coro ela aparece lamentando a desgraça de seus filhos, e outro mensageiro descreve detalhadamente a morte de Etéocles e de Polinices, seguida pela morte da própria Jocasta sobre os cadáveres de ambos. Tebas obtém uma vitória total. Os corpos são levados para o interior das muralhas, seguidos por Antígona, que chama Édipo. O pai e sua filha choram os mortos até a chegada de Creonte, para decretar que Antígona deveria casar-se com Hêmon (outro filho de Creonte), que Édipo teria de ir para o exílio, e finalmente que Polinices permaneceria insepulto. Antígona desafia Creonte, dizendo que sepultaria o irmão, não se casaria com Hêmon e seguiria com o pai para o exílio. Ao partir, conduzido pela filha, Édipo relembra sua grandeza passada como vencedor da Esfinge.

2.2. A peça. *As Fenícias*, a tragédia da ambição política, foram representadas pela primeira vez em Atenas em 406 a.C. (ano da morte de Eurípides); a exemplo das *Bacantes* esta tragédia se enquadra no Ciclo Tebano, fonte inesgotável de lendas, como a de Édipo, generosamente aproveitadas pelos poetas trágicos: por Ésquilo, nos *Sete contra Tebas*, por Sófocles no *Édipo Rei*, na *Antígona* e no *Édipo em Colono* e por Eurípides nas duas tragédias mencionadas acima e nas *Suplicantes*. O enredo é o dos *Sete contra Tebas*; os aportes de Eurípides são o papel de Jocasta e a aparição de Édipo, já velho, no final da peça, partindo para o exílio com Antígona.

As Fenícias são a mais longa das tragédias conservadas de Eurípides, suplantada ligeiramente, em termos de extensão, apenas pelo *Édipo em Colono* de Sófocles. A multiplicidade de episódios e de personagens de importância considerável torna a tragédia complexa, a ponto de D. J. Conacher, em sua obra *Euripidean Drama*, dizer: "*As Fenícias* são, sob certos aspectos, a mais tradicional, sob outros a mais original, e de um modo geral a mais desconcertante das tragédias de Eurípides" (página 227). Essa complexidade levou alguns estudiosos a suspeitarem de enxertos introduzidos por autores posteriores. Essas peculiaridades, todavia, não diminuem as qualidades literárias da peça e suas conotações políticas, apreciadas pelas gerações subseqüentes, de tal maneira que *As Fenícias*, juntamente com *Hécuba* e *Orestes*, foram as tragédias mais lidas até a época bizantina.

É interessante notar, a respeito dos eventuais enxertos, que os versos 1558 e 1559 das *Fenícias* (no original) são praticamente iguais aos versos 1524 e 1525 do *Édipo Rei* de Sófocles (também no original).

2.3. A tradução. Nossa tradução baseou-se no texto estabelecido por Gilbert Murray (veja-se o parágrafo 1.3 acima). Consultamos também o texto estabelecido por Henri Grégoire e Louis Méridier na edição da "Les Belles Lettres" (Paris, 1950).

3. As Bacantes

3.1. Enredo da peça. Diante do palácio real de Tebas o deus Diôniso conta como, disfarçado em profeta, trouxe sua religião para a Grécia. Sua intenção em Tebas é punir Agave e Autônoe, irmãs de sua mãe Semele, por terem dito que esta se unira a algum mortal, e não a Zeus, não gerando portanto outro deus, e eliminar o jovem Penteu, rei de Tebas e filho de Agave, que se opunha ao culto do deus. As mulheres de Tebas estão reunidas no monte Citéron, em seus cortejos, possuídas pelo entusiasmo báquico. Diôniso pretende juntar-se a elas, e o Coro de devotas frígias entoa um elogio delirante de fervor religioso. Em seguida aparecem Tirésias, o adivinho, e Cadmo, pai de Agave, preparando-se para ir juntar-se às devotas de Diôniso — as Bacantes — no monte Citéron; Penteu aproxima-se deles e os censura. As respostas dos dois velhos deixam-no ainda mais irado e ele ordena que seja preso o profeta estrangeiro. As mulheres do Coro, ansiosas por juntar-se às Bacantes, fazem um apelo a Penteu para não efetuar a prisão, cantando a divindade de Diôniso e os males decorrentes do orgulho. Penteu interroga e insulta Diôniso, mandando finalmente que o prendam nas cocheiras do palácio real. O Coro expressa sua indignação e invoca a ajuda de Diôniso, enquanto este provoca incêndios e terremotos; as mulheres do Coro festejam o desabamento do palácio. O deus reaparece e conta as tentativas de Penteu de acorrentá-lo e como reduziu o palácio a ruínas. Penteu aparece enfurecido, mas encontra um pastor de bois que relata as celebrações e milagres das Bacantes de Diôniso no Citéron. Esse relato irrita ainda mais o rei, mas o profeta o convence a não usar a força e a ir disfarçado de mulher para presenciar as festas das Bacantes. Penteu entra no que resta do palácio com o deus, que revela depois ao Coro o fim próximo do rei de Tebas; as mulheres do Coro alegram-se com a sua futura liberdade de culto e com o destino do rei ímpio. Penteu reaparece vestido de Bacante e submisso a Diôniso. Os dois partem para o Citéron, estando o rei completamente mudado e mentalmente confuso. O Coro clama energicamente por vingança contra ele, enquanto louva a busca de tudo que é belo na vida. Pouco tempo depois outro mensageiro chega apressadamente à frente do palácio, vindo do Citéron, para relatar a morte de Penteu, que fora esquartejado e degolado por sua mãe Agave e por suas irmãs e companheiras. Em seguida Agave chega triunfalmente à frente do palácio com a cabeça do filho nas mãos, pensando que se trata de um filhote de leão; algum tempo depois chega Cadmo, que traz os restos irreconhecíveis do corpo do rei, e consegue aos poucos restaurar a lucidez de Agave, enquanto lamenta o destino de Penteu, que era o apoio de sua velhice. Diôniso aparece suspenso no ar, prediz o destino de Cadmo e de sua mulher, e esclarece que a amargura daqueles momentos resultava da vontade de Zeus. Agave retira-se consternada, renegando a devoção ao deus.

3.2. A peça. *As Bacantes* são um hino de louvor a um novo deus no panteão grego — Diôniso, ou Baco, ou Báquio, introdutor do vinho na Grécia — e um elogio fervoroso ao próprio vinho e ao delírio místico. Nelas Eurípides trata de um episódio da lenda de Diôniso, já dramatizada por Ésquilo em sua tragédia *Penteu*, de que nos restam escassos fragmentos. No fundo, trata-se de um conflito entre o equilíbrio racional e a exaltação religiosa, esta apresentada com a legítima sabedoria. De certo modo *As Bacantes* são uma palinódia de Eurípides, retratando-se no fim de sua carreira do racionalismo manifestado em muitas de suas tragédias, num retorno à natureza e ao primitivismo. Se pensarmos que a peça foi escrita, juntamente com a *Ifigênia em Áulis* e o

Alcmáion (do qual nos restam apenas fragmentos), para ser encenada na Macedônia (na corte do rei Arquelau, em Áigai) ainda semibárbara na época e privilegiada pela natureza exuberante, cercada de montanhas que a protegiam da aproximação dos gregos mais civilizados, compreenderemos melhor essa retratação do poeta, desiludido talvez com a vida intelectual de Atenas na época melancólica subseqüente à derrota catastrófica na guerra do Peloponeso e ressentido com as críticas contundentes de Aristófanes em suas comédias. Alguns estudiosos têm razão quando dizem que *As Bacantes* são a tragédia de Eurípides mais próxima das de Ésquilo, ainda envolto em religiosidade.

As Bacantes foram uma das tragédias preferidas pelos espectadores gregos, e há testemunhos de que a peça era representada pelo menos até o século IV d.C.; essa preferência se estendeu aos poetas latinos (Ênio e Ácio escreveram também peças com o título e o enredo das *Bacantes*), e entre todas as tragédias gregas ela foi a mais citada na Antigüidade. Em um drama sacro elaborado provavelmente por Gregório Nazianzeno no século IV d.C. (ou, segundo outros estudiosos, por outro religioso do século IX), chamado *Christus Patiens* e constituído de versos de várias tragédias gregas, cerca de trezentos versos provêm das *Bacantes*, que foram copiadas por Demétrio Triclínio no século XIV. Na época moderna essa preferência não é regra geral. Os clássicos franceses, como seria de esperar de seu formalismo, não a apreciaram tanto quanto os antigos, e aparentemente Racine não a leu até o fim (suas anotações na edição aldina do poeta, conservada na Biblioteca Nacional de Paris, vão somente até o fim da primeira cena). Os estudiosos mais recentes não lhe poupam elogios; alguns a consideram "uma das maiores tragédias gregas" (A. E. Haigh, *The Tragic Drama of the Greeks*, Oxford, Clarendon Press, 1896).

Nos palcos europeus são freqüentes as encenações da peça, já representada também no Rio.

Na parte final das *Bacantes* o texto dos manuscritos apresenta numerosas lacunas, preenchidas em grande parte com versos de Eurípides enxertados no drama religioso *Christus Patiens*, mencionado acima.

3.3. A tradução. Consultamos geralmente, para nossa tradução, o texto estabelecido por Gilbert Murray (veja-se o parágrafo 1.3 acima). Recorremos também à edição abundantemente comentada de Jeanne Roux (Paris, "Les Belles Lettres", 1970, 2 volumes).

Rio, novembro de 1992
MÁRIO DA GAMA KURY

IFIGÊNIA EM ÁULIS

Época da ação: idade heróica da Grécia.
Local: Áulis, porto onde estava reunida a armada grega.
Primeira representação: provavelmente em 405 a.C., em Atenas.

PERSONAGENS

AGAMÊMNON, rei de Argos e de Micenas, filho de Atreu, também chamado de Atrida.
VELHO, servidor de Clitemnestra e de Agamêmnon.
CORO, composto de mulheres de Cálcis.
MENELAU, irmão de Agamêmnon.
CLITEMNESTRA, mulher de Agamêmnon, filha de Leda e de Tíndaro.
IFIGÊNIA, filha de Agamêmnon e de Clitemnestra.
AQUILES, filho de Peleu e de Tétis.
MENSAGEIRO.

Cenário

O acampamento dos gregos em Áulis, composto de numerosas tendas junto ao mar. Começa a mostrar-se a claridade do sol nascente. Vê-se AGAMÊMNON *diante de uma tenda, chamando o* VELHO, *que está lá dentro, com algumas plaquetas de madeira nas mãos.*

AGAMÊMNON

Sai deste abrigo imediatamente, velho!

VELHO

Saindo da tenda

Saio; que vais fazer, rei Agamêmnon?

AGAMÊMNON

Anda!

VELHO

Já vim. De fato, os muitos anos não extinguem
nos meus olhos cansados a presteza antiga.

AGAMÊMNON

Qual é, então, aquela estrela cintilante
visível muito próxima das sete Plêiades,
chegando ao meio de seu curso invariável?
Ainda não ouvimos os canoros pássaros
e as ondas do oceano nem sequer murmuram;
calaram-se todos os ventos sobre o Êuripo[1].

VELHO

Por que, rei Agamêmnon, sais com tanta pressa
de tua tenda, enquanto em Áulis tudo é calma
e os guardas nem se revezaram? Retornemos.

AGAMÊMNON

Invejo-te, ancião. Invejo sempre o homem,
seja qual for, que passa a existência toda
no anonimato, sem perigos e sem glória.
Aqueles que, ao contrário, galgam altos postos,
têm um destino muito menos invejável.

VELHO

Mas está neles a beleza desta vida.

AGAMÊMNON

Essa beleza é enganadora. As honrarias,
enquanto as desejamos, são muito agradáveis,
mas quando vêm com elas todos os desgostos
que as acompanham, só nos restam amarguras.
Ora, por qualquer infração do culto aos deuses,
a vida nos reserva apenas decepções;
ora fustigam-nos os caprichos dos homens,
instáveis e difíceis de satisfazer.

VELHO

Não é possível concordar com tais palavras
vindas dos lábios de um homem tão poderoso.
Atreu, teu pai, não te engendrou, rei Agamêmnon,
para ser dono de todos os bens da vida
ao mesmo tempo e sem que nada te faltasse.
O teu destino é sentir alegria e dor;
és filho de mortais e, satisfeito ou não,
terás de obedecer à vontade dos deuses.
Vi-te escrevendo há pouco à luz de clara lâmpada,
numas plaquetas[1a] que tens ainda nas mãos
e depois apagar as palavras gravadas;

no mesmo instante refizeste o que apagaste,
pondo sobre a mensagem teu selo real;
logo rompeste o selo e lançaste no chão
tuas plaquetas, derramando muitas lágrimas.
Nota-se logo que és um homem dominado
por dúvidas capazes de te perturbarem.
Dize-me: que te aflige? Que te aflige, rei?
Responde! Que te aconteceu? Deves dizer-me!
Deixa-me partilhar as tuas aflições!
O que me confiares será recebido
por um servo fiel, pois Tíndaro, teu sogro,
acrescentou-me ao dote de tua mulher,
há muitos anos, para protegê-la sempre
com toda a devoção e o máximo cuidado.

AGAMÊMNON

Leda, filha de Téstio, teve três filhas.
Helena, Clitemnestra — minha esposa — e Foibe.
Apresentaram-se os varões mais abastados
de toda a Grécia como pretendentes dignos
à mão de Helena. Eles trocaram entre si
terríveis ameaças; cada um jurou
que se não conquistasse a desejada moça
se vingaria exterminando o preferido.
Sentia Tíndaro uma grande indecisão,
pois não sabia se devia dá-la ou não
em casamento e procurava inutilmente
um meio de chegar à solução melhor.
Veio-lhe à mente, então, uma oportuna idéia:
dando-se todos eles suas mãos direitas
e oferecendo as libações habituais
nos juramentos sobre as flamejantes vítimas,
fizeram entre imprecações uma promessa:
socorreriam juntos quem quer que viesse
a ser esposo da bela filha de Tíndaro,
se qualquer homem algum dia se atrevesse
a levá-la consigo de seu lar sagrado,
todos empunhariam armas e iriam
aniquilar com um exército a cidade
do pérfido raptor, fosse ele grego ou bárbaro.
Depois de todos empenharem a palavra,

unidos habilmente pelo idoso Tíndaro,
este deu liberdade à filha para a escolha,
entre os ilustres pretendentes, do indicado
pelo sopro acariciante de Afrodite[2].
A preferência dela foi por Menelau
— por que os outros deuses não o impediram
de unir-se em núpcias catastróficas a Helena?
Pouco tempo depois Páris[2a] chegou da Frígia
a Esparta, ele, o árbitro entre as três deusas,
vestido suntuosamente em roupas áureas
em plena ostentação da bárbara opulência.
Páris se apaixonou pela formosa Helena
e foi correspondido em seu amor por ela.
Aproveitando a ausência do rei Menelau,
Páris raptou-a e a levou em sua nau
para as campinas próximas ao monte Ida[3].
Vítima do ciúme, o desolado esposo
passou a percorrer a Grécia, invocando
o juramento feito pelos pretendentes
a Tíndaro, pois todos tinham de cumpri-lo.
Sem hesitar, os nobres gregos levantaram-se,
já empunhando suas lanças e vestindo
as armaduras, e vieram reunir-se
aqui no porto de Áulis, em naus incontáveis,
com seus escudos, muitos carros e cavalos.
Os gregos me escolheram para ser o chefe
da expedição que vingaria Menelau.
Ah! Se nossos bons deuses tivessem querido
que a outras mãos coubesse esta honraria ímpar!
O nosso exército se reuniu aqui
e ainda está retido por ventos adversos.
Diante desse contratempo persistente,
Calcas, nosso adivinho, nos anunciou
que é inevitável imolar a Ártemis,
a deusa padroeira desta região,
minha querida filha, a virgem Ifigênia;
em retribuição a este sacrifício
teremos finalmente ventos favoráveis
e os frígios todos irão ser aniquilados.
Se não fizermos o que a deusa nos impõe,
jamais nos vingaremos desse ultraje aos gregos.
Ouvindo o oráculo, cheguei a resolver

que nosso arauto[4] deveria apregoar
em altas vozes a dissolução total
das forças gregas, pois a minha decisão
era não consentir jamais no sacrifício
de minha filha. No momento meu irmão,
valendo-se de toda espécie de argumentos,
me compeliu, sem me deixar qualquer opção,
a conformar-me com a desventura enorme.
Mandei, então, a contragosto, uma mensagem
à minha esposa para que trouxesse logo
nossa filhinha para Áulis, a pretexto
de uni-la em casamento ao valoroso Aquiles[5].
Salientei os méritos desse guerreiro,
que impunha a condição de só partir conosco
se pudesse deixar na Ftia, sua pátria,
uma esposa legítima de nossa raça.
No intuito de persuadir minha mulher,
tive a idéia desse enlace imaginário.
Entre nós, gregos, somente Odisseu astuto,
o adivinho Calcas[6], Menelau e eu
estávamos cientes da verdade horrível.
Hoje, porém, revogo a decisão fatal
em má hora tomada; achei outra melhor
e a escrevi nestas plaquetas cujo lacre
me viste remover e reconstituir
durante a noite à luz mortiça de uma lâmpada.
Agora apressa-te, ancião. Leva a mensagem.
Parte sem a menor demora para Argos!
Antes, porém, desejo ler, para que ouças,
o teor das plaquetas, pois és um bom servo,
fiel à minha esposa e a toda a família.

VELHO

Fala! Revela-me toda a verdade, rei.
Minhas palavras devem concordar em tudo
com a mensagem destinada a Clitemnestra.

AGAMÊMNON

Lendo uma das plaquetas

"Filha de Leda: escrevo-te nova mensagem

para pedir-te que não mandes tua filha
para Áulis, porto seguro de águas plácidas
na sinuosa Eubéia, pois celebraremos
em outra ocasião as bodas de Ifigênia."

VELHO

Mas, como? Vendo-se frustrado assim, Aquiles,
cheio de cólera, não vos perseguirá
com seu ressentimento, a ti e a Clitemnestra?
Devemos recear a sua reação.
Revela-me teu pensamento quanto a isto.

AGAMÊMNON

Aquiles contribui apenas com seu nome,
e não de fato; ele não tem conhecimento
dessas imaginárias núpcias, nem tampouco
de nossas elucubrações e muito menos
do falso compromisso de lhe oferecer
a minha filha em casamento aqui em Áulis.

VELHO

Ousavas muito, meu senhor, quando a pretexto
de unir a tua filha ao valoroso Aquiles,
mandaste-a vir para ser imolada a Ártemis!

AGAMÊMNON

Ai! Ai de mim! Na hora perdi a razão.
Caio num precipício cheio de infortúnios!
Mas vai. Apressa a marcha de teus pés ao máximo!
Não te deixes vencer pela idade avançada.

VELHO

Apresso-me, senhor.

AGAMÊMNON

Nem mesmo te detenhas

perto das fontes protegidas pela sombra,
nem cedas ao encanto do suave sono.

VELHO

Dize palavras mais propícias neste instante!

AGAMÊMNON

Quando chegares perto de qualquer local
onde se cruzam os caminhos, olha bem!
Evita que algum carro de rodas velozes
vindo em sentido oposto ao teu possa escapar
à tua vista; é possível que ele traga
a minha filha para perto das naus gregas.

VELHO

Obedecer-te-ei, agindo como ordenas.

AGAMÊMNON

E se encontrares já distante do palácio
a comitiva de Ifigênia, convence-a
por todos os modos e meios a voltar
para as muralhas construídas pelos Cíclopes[7].

VELHO

Mas dize: como tua filha e tua esposa
irão saber que têm de acreditar em mim?

AGAMÊMNON

Elas verão o lacre que sela as plaquetas.
Agora vai! Já aparecem no horizonte
a luz da aurora e as fulgurações lançadas
pelos corcéis do sol. Começa a caminhar!
Não há entre os mortais um só cuja existência
seja perenemente próspera e feliz.
Nunca existiu alguém imune ao sofrimento.

AGAMÊMNON entra em sua tenda; o VELHO sai correndo; chega o CORO

CORO

Viemos para as praias arenosas
de Áulis marítima; cortando as ondas
do Êuripo, contidas neste estreito,
estamos hoje aqui, deixando Cálcis,
nossa cidade, mãe das águas salsas
da célebre Aretusa[8]. Desejávamos
ver os aqueus[9] inúmeros do exército,
ver suas naus que vão singrar os mares,
as muitas naus desses jovens heróis
que, nas palavras de nossos maridos,
o louco Menelau e seu irmão,
rei Agamêmnon, pretendem mandar
nas pegadas de Helena desastrosa;
perto do Eurotas[10] e seus belos juncos
raptou-a Páris, o pastor de bois.
Deu-lhe a deusa Afrodite esse presente[11]
quando, perto das fontes de águas límpidas,
quis conquistar o prêmio da beleza.
Atravessando os bosques sacros de Ártemis,
testemunhas de tantos sacrifícios,
viemos sempre atentas às ciladas;
estávamos coradas de pudor,
pois ansiávamos por ver as tendas
dos expedicionários protegidos
pelos escudos, os grandes depósitos
onde se amontoavam tantas armas
e a multidão de cavalos indóceis.
Notamos a presença dos dois Ájaxes
— primeiro o filho de Oileu, depois
o herói de quem se orgulha Salamina[12],
filho de Telamon —, ambos sentados;
vimos Protesilau com Palamedes,
filho de Náuplio e um dos netos
de Poseidon[13]; os dois se distraíam
com a combinação das várias peças
do jogo de xadrez; e Diomedes
exercitava-se lançando o disco;

e perto dele estava Meriones,
filho de Ares[14], que os mortais admiram;
e o filho de Laertes[15], procedente
da ilha montanhosa; e Nireu,
o mais belo dos gregos; inda vimos
Aquiles, filho de Tétis divina,
discípulo de Quíron, tão veloz
quanto os rápidos ventos nas corridas.
Pudemos vê-lo competir na praia
numa disputa; ele venceu um carro
puxado por quatro corcéis fogosos;
Êumelo, neto do famoso Feres
e condutor do carro, insuflava
com a voz e o aguilhão os animais
soberbos com seus freios de ouro puro;
os dois corcéis do meio, sob o jugo,
eram alvíssimos, porém malhados;
os dois de fora, opostos um ao outro,
eram da cor do fogo, mas as pernas
mostravam malhas acima dos cascos.
Perto de um deles, ao lado do carro,
voava o filho de Peleu e Tétis[15a],
como se suas armas não pesassem.
Viemos para ver as muitas naus,
indescritível e belo espetáculo,
e enchemos nossos olhos feminis
desse portento — suave prazer.
A ala destra, com cinqüenta naus
impetuosas da frota dos gregos,
trazia os valorosos mirmidões
vindos da Ftia; nossos olhos viram
na popa das embarcações paradas
imagens de Nereides[16] recobertas
de folhas de ouro, insígnias cintilantes
dos comandados do valente Aquiles.
Iguais em número a estas vimos
bem alinhadas, próximas das outras
as naus vindas de Argos; comandavam-nas
os filhos do brioso Mecisteu,
criados pelo avô — Talau —, e Estênelo,
filho de Capaneu. Veio da Ática
um filho de Teseu; as suas naus

eram sessenta, todas ancoradas
logo a seguir; nelas aparecia
um carro alado onde se via Atena[16a]
guiando seus belos corcéis indóceis,
emblema de presságios favoráveis.
Vimos também, dando seqüência à frota,
o contingente vindo da Beócia
— cinqüenta naus desafiando as ondas —;
nelas notava-se em realce a insígnia
que as distinguia: Cadmo no momento
de exterminar o famoso dragão,
reproduzido em ouro, um ornamento
visível na popa de cada nau.
O comandante delas era Leito,
gerado nas entranhas da mãe-terra.
Da Fócida vieram outras naus,
e a Lócrida também contribuiu
com o mesmo número de embarcações
obedientes às ordens de Oileu;
ele partiu de Trônion famosa.
Lá de Micenas com suas muralhas
erguidas pelos gigantescos Cíclopes,
Agamêmnon, seu rei, determinou
a vinda de cem naus bem equipadas;
ele e seu irmão Menelau repartem
o mando sobre elas, como amigos
que lutam lado a lado para impor,
graças aos bravos combatentes gregos,
o reconhecimento pelos frígios
do sagrado direito do marido
sobre a formosa Helena, que fugiu
de seu palácio para se juntar
em núpcias bárbaras a novo esposo.
Pudemos ver também Nestor gerênio,
vindo de Pilos. Sobre a popa alta
de suas naus aparece o Alfeu[17],
que banha os arredores da cidade;
no emblema ele aparece como um touro.
Os enianos tinham doze naus
sob o comando de Guneu ilustre;
em continuação estacionavam
os reis da Élida com seus epeus;

o nome de seu comandante é Êurito.
Os bravos filhos da ilha de Tafos
eram notados por seus remos brancos;
chama-se Meges o seu comandante,
o filho predileto de Fileu,
que vinha das Equínades inóspitas
por causa de seu mar sempre agitado.
Ájax de Salamina, finalmente,
juntou sua ala destra à ala esquerda
de seus vizinhos lá no ancoradouro
(eles já conheciam suas naus
— apenas doze — dóceis nas manobras),
formando com essa disposição
a parte extrema da frota dos gregos.
Eis o que nos disseram a propósito
dessa possante e numerosa armada,
e a impressão de nossos próprios olhos.
As naus dos bárbaros que se atrevessem
a engajar-se em luta contra ela,
por certo levariam a pior
diante das forças navais que víamos
bem alinhadas naquele lugar;
de fato, já ouvíramos falar
elogiosamente em nossos lares
dessa grande concentração guerreira,
cuja lembrança nítida, indelével,
guardamos para sempre na memória.

Reaparece o VELHO, discutindo com MENELAU, que usa um bastão

VELHO

Esta ousadia, Menelau, é insultuosa!
Não tens direito de mostrar tanta arrogância!

MENELAU

Afasta-te! És fiel demais a teus senhores!

VELHO

É uma glória para mim tua censura!

MENELAU

Arrepender-te-ás de teu procedimento!

VELHO

Não podias abrir a mensagem lacrada!

MENELAU

E tu não podias levar uma mensagem
funesta em demasia para os gregos todos!

VELHO

Discute assim com outros. Devolve a mensagem!

O VELHO tenta tirar as plaquetas da mão de MENELAU

MENELAU

Nunca as devolverei!

VELHO

Não quero que as retenhas!

MENELAU

Este bastão fará sangrar tua cabeça!

VELHO

Serei louvado se morrer por meus senhores.

MENELAU

Solta a mensagem! Falas muito como escravo!

VELHO

Gritando na direção da tenda de AGAMÊMNON

Cometem uma violência contra mim,
rei Agamêmnon! Este homem se atreveu
a arrancar de minhas mãos essas plaquetas
e não quer dar ouvidos à voz da justiça!

AGAMÊMNON

Saindo da tenda

Que discussão é esta em frente à minha tenda?
Qual a razão deste incidente escandaloso?

MENELAU

Sou eu, e não este velho atrevido, irmão,
que deveria elevar a voz agora.

AGAMÊMNON

Mas, que motivos, Menelau, podem levar-te
a discutir com ele aqui em altos brados?

MENELAU

Olha-me, então, de frente; é este o meu exórdio.

AGAMÊMNON

Pensas que eu, um dos Atridas, baixo os olhos?

MENELAU

Vês claramente esta mensagem, instrumento
da intriga mais indecorosa que conheço?

AGAMÊMNON

Sim, vejo-a, mas para começar devolve-a!

MENELAU

De forma alguma! Antes desejo mostrar
o seu teor aos gregos aqui acampados.

AGAMÊMNON

Rompeste o lacre e abusivamente leste
o que devias ignorar? Que atrevimento!

MENELAU

Rompi; já tenho informações suficientes
para cobrar-te um alto preço; descobri
nesta mensagem quanto é torpe a tua trama!

AGAMÊMNON

Onde a roubaste? Ah! Deuses! Quanta indignidade!

MENELAU

Eu aguardava tua filha às portas de Argos.

AGAMÊMNON

Com que direito te intrometes desta forma
em meus assuntos? Ages de maneira iníqua!

MENELAU

Tua atitude justifica minha ação;
além do mais, não sou um de teus muitos servos.

AGAMÊMNON

Esta conduta é realmente revoltante!
Sou eu quem administra minha casa. Ou não?

MENELAU

Mas tuas intenções são tortuosas; hoje
é este teu capricho; logo será outro...

AGAMÊMNON

Ah! Teus gracejos! Uma linguagem mordaz
é muito perigosa em homens ardilosos.

MENELAU

Os homens de mente indecisa são injustos
e causam decepções sem número aos amigos.
Apenas quero convencer-te; não relutes,
sob o domínio do rancor, a enfrentar
a nítida verdade, e eu, de minha parte,
evitarei uma insistência exagerada.
Já não te lembras do tempo em que pretendias
ardentemente comandar todos os gregos
na luta contra Ílion[18], por nós decidida?
Quem te ouvia falar não notava o desejo,
mas ele estava presente em teu coração.
Naquela ocasião eras muito cordato
e procuravas apertar todas as mãos;
a porta do palácio se mantinha aberta
a qualquer cidadão que desejava ver-te;
dispunhas-te a ouvir quem queria falar-te;
às vezes, contra a vontade de teus amigos,
davas a todos os presentes um pretexto
para te dirigirem algumas palavras,
cada um por seu turno, e a tua conduta
era a de quem apenas mendigava honras
muito ansiadas por tua própria ambição.
Mas, quando te foi concedido finalmente
o comando supremo de todos os gregos,
mudaste de atitude. Teus leais amigos
já não podiam ver em ti o mesmo amigo
de alguns dias atrás, pois já não conseguiam
chegar perto de ti; recluso em teu palácio,
passaste em pouco tempo a ser inacessível.
Não é conveniente a um homem de bem
que passa a ser onipotente a adoção
de novos hábitos; ainda mais que antes
ele deve fidelidade a seus amigos
desde o momento em que a sua autoridade
lhe dá o ensejo de, como nos dias maus,
ser prestativo. Eis o primeiro de teus erros,
merecedor de minhas recriminações.
Agora eis-te em Áulis, onde nossa armada
espera impaciente os ventos favoráveis.
As forças gregas já tinham solicitado

que fosse dada uma licença aos combatentes
incomodados pelo forte frio aqui.
Como ficaste triste e infeliz então!
Como te perturbou esse pedido, irmão!
Quanta tristeza pude ver em teu olhar!
Como estavas confuso apenas com a idéia
de que já não irias ser o comandante
destas mil naus, e nunca mais tu cobririas
com teus bravos guerreiros a terra de Príamo[19]!
O teu aspecto era o de quem já não vivia;
tirou-te o ânimo a oposição divina
deixando as naus imóveis por falta de vento,
e então me convocaste para perguntar-me:
"Como agiremos? Que atitude tomaremos
diante do dilema sem qualquer saída,
para manter a integridade do poder
e não deixar fugir-nos a maior das glórias?"
Depois, quando Calcas, junto ao altar sagrado,
nos disse que era necessário o sacrifício
de tua filha a Ártemis[20], tu, convencido
da inexistência de qualquer alternativa
para tornar possível a longa viagem
das naus dos gregos, concordaste aliviado
com o sacrifício de Ifigênia infortunada,
e livremente, sem constrangimento algum
— não podes alegar a mínima pressão —,
deste ordens à tua mulher para trazê-la
até aqui, a pretexto de uni-la a Aquiles.
Hoje recuas de tua resolução
e surpreendo-te dando ordens em contrário;
já não concordarias com tirar a vida
à tua filha. Mas foi este mesmo ar
que ouviu de tua boca a enfática promessa.
Assim comportam-se, aliás, muitos mortais
em circunstâncias semelhantes às de agora.
Eles enfrentam sem qualquer hesitação
as múltiplas dificuldades existentes
na via que leva ao poder, mas logo os vemos
voltar atrás covardemente, às vezes vítimas
da inconstância natural das multidões,
e às vezes só por lhes faltarem qualidades
para velar pelo destino da cidade.

Lamento antes de tudo a Grécia desditosa,
embora anseie por lançar-se a grandes feitos,
ela não vai punir esses míseros bárbaros
para tornar-se o alvo do sarcasmo deles
por tua causa e por causa de tua filha!
Jamais eu depositaria confiança
num homem, só porque sua riqueza é muita,
para ser comandante de nossos soldados
ou para governar a terra onde nascemos.
É de bom senso que precisa o estadista
e de capacidade para seus encargos.

CORIFEU

Lutas e desavenças entre dois irmãos
são perigosas quando a discórdia os separa.

AGAMÊMNON

Sem levantar demais as minhas sobrancelhas,
é minha vez de te dizer duras verdades
em algumas palavras, moderadamente
como convém quando conversam dois irmãos;
os homens bons devem manter a compostura.
Responde-me: por que te deixas dominar
por esta cólera terrível, que transforma
teus olhos antes claros em manchas de sangue?
Quem te ofendeu? Queres de volta a esposa casta?...
Não tenho condições de oferecer-te uma.
Por que não foste cuidadoso com a tua?
Sou eu que devo ser punido por teus erros,
eu, inocente? Ofende-te minha ambição?
Ainda queres estreitar com teus abraços
uma mulher cheia de todos os encantos
mas descuidosa da honradez e boa fama?
Só os homens covardes deixam-se vencer
pelos prazeres causadores de vergonha.
Então, apenas por haver renunciado
a uma decisão que julguei criminosa
depois de meditar e me inspirar melhor,
sou tido como louco? O insensato és tu,
que, livre de uma companheira desleal,

insistes em recuperá-la quando um deus
levou-a em boa hora para muito longe!
Falas do juramento proposto por Tíndaro?
Sim; cada pretendente, em sua ansiedade,
apenas desejava ser o vencedor
na escolha para desposar Helena bela,
e se comprometeu; em minha opinião,
a esperança é uma deusa e foi ela,
apenas ela, quem levou os candidatos
ao juramento. Agora junta-te aos demais
e parte em companhia deles para a guerra;
todos te seguirão porque além de loucos
são certamente cegos; os deuses do céu
não são ingênuos e sabem distinguir
os juramentos maculados por embustes,
que por isso não comprometem consciências.
Não! Nunca matarei meus filhos, nem dirão
que teus anseios foram todos satisfeitos,
contra toda a justiça, com a punição
de uma esposa infiel por seu próprio marido,
enquanto eu mesmo me consumiria em lágrimas
em todas as noites e dias, o carrasco
injusto e bárbaro de um ser que trouxe ao mundo!
Eis em poucas palavras claras e singelas
o que tinha a dizer-te respondendo às tuas.
Comporta-te insensatamente, se preferes.
De minha parte agirei da melhor maneira.

CORIFEU

Tuas palavras diferem das dele, rei;
é justo que um pai queira poupar seus filhos.

MENELAU

Ai! Infeliz de mim, que já não tenho amigos!

AGAMÊMNON

Se não os levares à ruina, tê-los-ás.

MENELAU

Quando me provarás que nós somos irmãos?

AGAMÊMNON

Quando tu fores sábio, verás que te apóio,
mas se procedes como louco não te sigo.

MENELAU

O verdadeiro amigo sofre com os amigos.

AGAMÊMNON

Tenta vencer-me sendo bom para comigo
em vez de me causar apenas sofrimentos.

MENELAU

Hesitas em juntar agora teu esforço
ao de todos os gregos nesta tentativa?

AGAMÊMNON

Os gregos, como tu, foram contaminados
sem dúvida por algum deus com a loucura.

MENELAU

Mostra-te altivo enquanto empunhas o teu cetro
depois de haver traído assim o teu irmão!
Procurarei alguma ajuda em outra parte
e me dirigirei a meus outros amigos.

Entra um MENSAGEIRO

MENSAGEIRO

Rei Agamêmnon! Chefe de todos os gregos!
Venho dizer-te que chegou a tua filha
chamada lá em teu palácio de Ifigênia.
Com ela veio Clitemnestra, sua mãe
e tua esposa, trazendo também Orestes
inda criança para que sua presença
alegre o coração do pai, ausente há tempo

de sua casa. Como foi longa a viagem,
as servas umedecem os pés delicados
na água refrescante de uma fonte límpida.
As éguas, depois de saciarem a sede,
deixamo-las num prado para se fartarem
da erva tenra. Adiantei-me às viajantes
para poderes fazer teus preparativos.
O nosso exército já tem conhecimento
da presença de tua filha aqui em Áulis,
pois a notícia se espalhou rapidamente.
O acampamento inteiro caminha apressado
para o local onde ela está; todos desejam
ver Ifigênia — entre os simples mortais
atraem os olhares em qualquer lugar
os donos do poder e a gente mais ilustre.
E se comenta: "Será isto um casamento,
ou que preparativos se fazem agora?
Estava muito impaciente o nosso rei
por ver a filha, a ponto de mandá-la vir?"
Dizia-se também: "Levam a jovem noiva
até o altar de Ártemis, deusa de Áulis,
antes das núpcias; quem se casará com ela?"
Está na hora de aprontar os santos cestos
dos sacrifícios[21]! Coroai as vossas frontes!
Tu, Menelau, dirige a festa nupcial;
que em toda parte se ouça o som das flautas
cadenciando as danças comemorativas!
Hoje é um dia venturoso para a virgem!

AGAMÊMNON

Falaste bem; entra no acampamento, então;
quanto ao restante, deixemos que a sorte siga
seu curso inexorável da melhor maneira.

Retira-se o MENSAGEIRO; AGAMÊMNON prossegue em solilóquio

Que poderei dizer? Como sou infeliz[21a]!
Por onde começar, preso ao jugo fatal
imposto pela sorte? Um deus fez-me cair
numa armadilha e se mostrou mais atilado
que eu com minha astúcia! Bendita humildade

de um nascimento obscuro! Ele nos dá direito
a externar todas as queixas, mas o filho
de uma família ilustre sente-se tolhido
por sua posição mais alta na cidade;
o culto da grandeza rege a nossa vida
e nos atrela à multidão e a seus caprichos.
Coro por estar derramando tantas lágrimas;
coro também porque não consigo contê-las
— ai, infeliz de mim! —, por não as dominar
na hora em que chego ao extremo do infortúnio!...
Ai! Que palavras direi à minha mulher?
Como poderei acolhê-la nesta hora?
Como poderei contemplá-la frente a frente?
Sua chegada contraria minhas ordens
e é o derradeiro golpe que me atinge
em meio a tantas e tão terríveis torturas!...
É muito natural que ela tenha vindo
com Ifigênia para conduzi-la aos braços
de seu futuro esposo e propiciar-lhe
os maternais cuidados com todo o carinho;
em mim ela verá apenas um carrasco!...
E quanto a essa virgem tão desventurada
(que digo? Virgem?), dentro de poucos instantes
ela estará dormindo nos braços da morte[22],
sem qualquer dúvida, de acordo com meus planos!
Já imagino estar ouvindo suas queixas:
“Queres matar-me? Ah! Para que bodas, pai,
convidas-me? Desejo que tu mesmo as proves,
e todos os teus bons amigos!” Nesse instante,
o meu Orestes, tão pequeno, perto dela,
dará sentidos gritos incompreensíveis
embora extremamente significativos,
pois ainda não fala! Ai! Pobre de mim!
Unindo-se a Helena bela, Páris bárbaro
filho de Príamo[23], causou minha desgraça!
Ele é o autor de todos estes infortúnios!

CORIFEU

Embora eu seja uma mulher, uma estrangeira,
estou participando desta angústia régia
e choro lágrimas de imensa piedade.

MENELAU

Juro por Pêlops, pai de nosso nobre pai,
e por Atreu, a quem devemos nossa vida:
irei abrir meu coração sinceramente,
diante de tua pessoa neste instante;
não há no que te digo hipocrisia alguma,
pois minhas falas pura e simplesmente espelham
meu pensamento. Vendo as lágrimas correrem
dos olhos teus, senti uma emoção enorme,
e embora me esforçasse não contive o pranto;
desculpa-me pelas palavras ditas antes;
nada mais tens a recear de mim, irmão;
ponho-me em teu lugar e apresso-me a pedir-te
para não tirares a vida de Ifigênia;
não deixes meus cuidados acima dos teus.
Não é justo que chores enquanto me alegro,
que teus entes queridos percam sua vida
enquanto os meus contemplam esta luz do sol.
E que pretendo, enfim? Será muito difícil
achar entre as mulheres uma nova esposa
digna de mim, se este for o meu desejo?
Irei como verdugo de meu caro irmão
— o último dos homens que devo afligir —,
aniquilar agora meu melhor amigo
por causa de um gênio do mal — sim, por Helena?
Ah! Eu seria o maior dos insensatos,
mais impulsivo que qualquer adolescente,
se agisse desse modo antes de ponderar
sobre o ato nefando de induzir um pai
a ser o causador da morte de uma filha!
E mais: meu coração, considerando bem
os laços íntimos de sangue que nos unem,
compadeceu-se desta virgem desditosa
na iminência de ser imolada aqui
para me trazerem de volta minha esposa.
Que tem tua Ifigênia a ver com minha Helena?
Volte daqui o exército licenciado,
e tu, irmão, cessa de umedecer as pálpebras
com tuas lágrimas e de fazer brotarem
lágrimas incontáveis de meus próprios olhos!
Se já me interessaram os tristes oráculos

em relação à tua filha, esqueci-os;
deves fazer o mesmo em minha opinião.
Talvez alguém, ouvindo-me, queira dizer
que depois de fazer-te tantas ameaças
passo a falar uma linguagem diferente;
inspira-me a razão. Se me deixei dobrar,
prevaleceu o afeto que me une a ti,
pois afinal somos filhos de um mesmo pai.
Faz parte do caráter de homens bem formados
ceder diante de uma opinião melhor.

CORIFEU

Esta maneira nobre de falar condiz
com um varão descendente do antigo Tântalo[23a],
filho de Zeus; teus ínclitos antepassados
por certo orgulham-se de ti, e com razão.

AGAMÊMNON

Após alguns instantes de silêncio

Louvo-te, Menelau, por haver adotado
esta nova linguagem mais digna de ti
e razoável, contra minha expectativa.
Entre os irmãos a discórdia se manifesta
ou por amor ou por excesso de ambição
(afastem-se de nós estes males terríveis!),
ambos destruidores da fraternidade.
Mas, creio que já não podemos escapar
à trama inelutável da fatalidade;
o sangue de Ifigênia terá de correr
no sacrifício infelizmente inevitável.

MENELAU

Como? Quem pode constranger-te a consumá-lo?

AGAMÊMNON

O exército dos gregos acampado aqui.

MENELAU

Não, se mandares tua filha para Argos.

AGAMÊMNON

De fato, poderíamos agir assim
se não houvesse uma força maior que a minha.

MENELAU

Qual? Não temamos a tal ponto a multidão.

AGAMÊMNON

Calcas transmitirá o oráculo aos soldados.

MENELAU

Não, se o eliminarmos antes; isto é fácil.

AGAMÊMNON

Toda esta raça de adivinhos e profetas
é uma praga corruptível pelo ouro.

MENELAU

Nada de bom há nela e para nada serve.

AGAMÊMNON

Nem temes outro fato muito perigoso
que aflora a meu espírito neste momento?

MENELAU

Se não fores mais claro não te entenderei.

AGAMÊMNON

O descendente do muito versátil Sísifo[24]
está perfeitamente a par de toda a trama.

MENELAU

Crês que Odisseu nos prejudicaria agora?

AGAMÊMNON

Ele é um homem de facetas variadas
e sempre o vemos do lado da maioria.

MENELAU

Por certo a ambição parece dominá-lo;
no caso dele trata-se de um mal temível.

AGAMÊMNON

Não tenhas dúvidas de que, insinuando-se
entre os soldados, ele lhes revelará
o oráculo de Calcas e minha promessa
de oferecer minha filha Ifigênia a Ártemis
no altar dos sacrifícios, e do perjúrio
em que eu incorrerei. Ele convencerá
com sua lábia toda a multidão dos gregos
a nos matarem — a mim mesmo, a ti e a ela.
Se minha decisão for retornar a Argos
eles me seguirão, querendo destruí-la
sem respeitar as antiqüíssimas muralhas,
obra dos próprios Cíclopes[25]. Eis o destino
que vejo à minha frente, cheio de ameaças.
A que extremos de infortúnio — ai de mim! —
os deuses querem conduzir-me neste dia?
Quando encontrares os soldados acampados,
toma cuidado, Menelau, para evitar
que Clitemnestra fique a par de tudo isto
antes de eu entregar a minha filha à Morte[26];
assim algumas lágrimas serão poupadas
nestes momentos de indizível amargura.

Dirigindo-se às mulheres do CORO

Quanto a vós, estrangeiras, ficai em silêncio.

Saem AGAMÊMNON *e* MENELAU

CORO

Benditas são as mulheres que sentem
com a moderação aconselhável
o gozo dos prazeres de Afrodite,
obedecendo às regras do recato
até nas horas de maior delírio,
sem ter provado as dores provocadas
pelo aguilhão das paixões desvairadas
no instante em que as mãos do louro Eros[27]
vergam o arco duplo da volúpia,
ora para alegrar os nossos dias,
ora para arruinar a nossa vida.
Afasta de nós e de nosso leito,
Cípris belíssima, todos os males
que se misturam às bênçãos do amor!
Concede-nos a graça de sentir
apenas os desejos moderados,
ornadas de uma graça sempre casta!
Possamos nós, sob as vistas de Cípris,
manter-nos livres dos furores dela!
A natureza dos mortais varia,
varia sua maneira de ser,
mas a índole realmente boa
revela-se apenas pela conduta;
os dons que devemos à educação
ajudam-nos a sermos virtuosas,
pois o pudor é prova de prudência.
O que há de mais belo é discernir
nosso dever graças à inteligência.
Temos, então, direito de esperar
como prêmio de nossa compostura
a glória imune ao transcurso do tempo.
É valioso o apego à castidade;
a quietude das almas sem mácula
— amparo das mulheres nas ciladas
da Cípris clandestina — agrada aos homens
e traz grandeza e ordem às cidades.
Vivias, Páris, em lugares ermos
como simples pastor atento ao gado,
entre as novilhas brancas do alto Ida[28],
onde foste criado; modulavas

em tua flauta frígia árias bárbaras,
marcando com teus lábios a cadência
enquanto as vacas de túrgidos úberes
pastavam sob o teu olhar atento;
mas a funesta escolha a que chegaste
na querela divina[28a] transtornou-te
e te levou à Grécia e ao palácio
ornado de marfim; lá teus olhares
logo inspiraram em Helena bela
aquele amor que tu mesmo sorvias
nos olhos da mulher de Menelau.
E da discórdia entre as divindades
nasceu nova discórdia que afinal
levou as numerosas naus dos gregos
com suas lanças à distante Tróia.

Chega o carro onde estão IFIGÊNIA, CLITEMNESTRA *e Orestes, seguidas por seu cortejo. As mulheres do* CORO *prosseguem*

Ah! Como é grande a ventura dos grandes!
Estão chegando a princesa Ifigênia,
filha do rei, e a nobre Clitemnestra,
filha de Tíndaro, ambas nascidas
de pais ilustres; elas se encaminham
para um destino repleto de glória
(os poderosos, cercados de pompa,
são como os deuses para a gente humilde).
Marchemos todas para um bom lugar,
filhas de Cálcis; sejamos solícitas
com a rainha, quando ela descer
do carro que vimos chegar de Argos,
para evitar algum tropeço ou queda
na hora de pousar os pés no chão.
Ofereçamos gentilmente as mãos
também à nobre filha de Agamêmnon,
pois não queremos vê-la magoada.
Sendo estrangeiras, não desapontemos
as viajantes nesta hora alegre.

CLITEMNESTRA

Aparecendo na janela do carro

Parece-me um presságio muito favorável
vossa acolhida plena de benevolência
e vossas expressões cheias de bons augúrios;
elas nos trazem esperanças de ventura
nas núpcias para as quais conduzo minha filha.

Dirigindo-se às suas servas

Tirai do carro as dádivas de casamento
que trago como nosso dote para a noiva;
deixai-as cuidadosamente lá na tenda.

Dirigindo-se a IFIGÊNIA

E tu, desce do carro, minha filha amada;
pousa no chão de Áulis teus pés delicados.

Dirigindo-se às mulheres do CORO

E vós, mulheres, recebei-a em vossos braços,
levai-a logo deste carro; quanto a mim,
ajude-me com suas mãos uma de vós,
pois quero levantar-me e apear daqui
sem acidentes, livre de qualquer transtorno.
Seria bom se alguém fosse ficar depressa
na frente dessas éguas, pois se não sentirem
os cuidados devidos podem disparar,
desabaladas, ao menor ruído ou gesto.
E segurai também este menino — Orestes,
o filho de Agamêmnon —, ainda pequeno.
Estás dormindo, criancinha? Certamente
o balanço do carro te embalou; acorda
para presenciar o enlace auspicioso
de tua irmã. És nobre e passarás agora
a ser cunhado de um guerreiro valoroso,
o filho ilustre da Nereide[29], igual aos deuses,
pois uma deusa o deu à luz. Tu, Ifigênia,
filha querida, fica aqui, perto de mim,
de tua mãe; assim, sentindo-te a meu lado,
apresentar-te-ei a estas estrangeiras
para que vejam com seus olhos o espetáculo

da mais feliz das mães neste momento alegre;
vem e saúda o rei, teu pai muito querido.

Dirigindo-se a AGAMÊMNON, *que entra*

Mas ele está chegando. É hora de saudá-lo.
Salve, rei Agamêmnon, que reverencio
como a nenhuma criatura deste mundo!
Eis-nos aqui, obedientes a teu mando.

IFIGÊNIA

Correndo em direção a AGAMÊMNON

Deixa-me, mãe, passar correndo à tua frente;
não te ressintas; avanço para lançar-me
nos braços de meu pai. Quero ser a primeira
a te abraçar depois de longa ausência, pai!
Estava muito impaciente por rever-te!

Dirigindo-se a CLITEMNESTRA

Não te aborreças com meu arrebatamento!

CLITEMNESTRA

Não, minha filha; estás cumprindo teu dever.
Dos filhos todos que lhe dei tu foste sempre
a mais querida por teu pai, sem qualquer dúvida.

IFIGÊNIA

Quanta alegria sinto, pai, vendo-te agora,
após uma separação interminável!

AGAMÊMNON

Teu pai também; tuas palavras, minha filha,
são igualmente válidas para nós dois.

IFIGÊNIA

Festejo-te! Quanto bem me fizeste, pai,
determinando que eu viesse para cá!

AGAMÊMNON

Não sei se devo ou não dizer o mesmo, filha...

IFIGÊNIA

Mas, como, pai? Para quem é feliz por ver-me,
mostras no rosto grande preocupação.

AGAMÊMNON

Um rei, um comandante de tantos soldados,
tem mil motivos para estar sobressaltado.

IFIGÊNIA

Fica comigo agora! Esquece teus cuidados!

AGAMÊMNON

Sim, filha; estou aqui pensando só em ti;
nada mais neste mundo me inquieta hoje.

IFIGÊNIA

Deves, então, desenrugar a fronte, pai;
quero ver em teus olhos apenas ternura.

AGAMÊMNON

Observa, filha, e notarás que estou feliz,
tanto quanto posso ser venturoso vendo-te.

IFIGÊNIA

Saem por isto de teus olhos estas lágrimas?

AGAMÊMNON

Estou pensando em nova ausência, muito longa...

IFIGÊNIA

Não sei o que pretendes exprimir agora,
pai queridíssimo, e ao mesmo tempo sei...

AGAMÊMNON

Tuas palavras cheias de bons sentimentos
comovem inda mais meu coração de pai.

IFIGÊNIA

Então direi apenas infantilidades,
se assim eu conseguir deixar-te mais alegre.

AGAMÊMNON

À parte

Já não consigo calar os meus pensamentos...

A Ifigênia

Muito obrigado, minha filha. Agora basta.

IFIGÊNIA

Fica comigo e com Orestes nesta tenda!

AGAMÊMNON

Eu também quero, mas a máxima aflição
é não ter sequer o direito de querer...

IFIGÊNIA

Acabem-se as disputas e os males sem número
causados pelo desastroso Menelau!

AGAMÊMNON

Eles ainda extinguirão outras pessoas
e isto vai aniquilar a minha vida...

IFIGÊNIA

Estás há muito tempo longe da família,
parado nestas praias do golfo de Áulis.

AGAMÊMNON

Agora mesmo novo obstáculo me impede
de dar as ordens para o embarque das tropas.

IFIGÊNIA

Em que parte do mundo os frígios vivem, pai?

AGAMÊMNON

Nas regiões onde Páris, filho de Príamo,
não deveria sequer ter nascido, filha...

IFIGÊNIA

Então esta viagem que tens de fazer,
deixando-me sem ti, é muito, muito longa?

AGAMÊMNON

Um dia estaremos novamente juntos...

IFIGÊNIA

Ah! Se pudesses, sem causar maior escândalo,
levar-me em tua nau para te acompanhar!...

AGAMÊMNON

Também te espera uma viagem, minha filha,
e antes de partir te lembrarás de mim...

IFIGÊNIA

Viajarei com minha mãe querida, ou só?

AGAMÊMNON

Só, Ifigênia, sem teu pai, sem tua mãe...

IFIGÊNIA

Deixar-me-ás em outra casa ou lugar?

AGAMÊMNON

Calemo-nos; as virgens devem ser discretas.

IFIGÊNIA

Volta depressa lá da Frígia para ver-me,
depois de obter bons resultados, como esperas.

AGAMÊMNON

Antes terá de haver um sacrifício aqui...

IFIGÊNIA

Quero participar da cerimônia, pai;
é meu desejo ver tudo que é permitido.

AGAMÊMNON

Verás e estarás perto da água lustral...

IFIGÊNIA

Haverá coro e danças em volta do altar?

AGAMÊMNON

Bendita seja a tua ignorância, filha!...
Como te invejo! Agora entra em minha tenda,
pois é indecoroso para nossas virgens
aparecerem entre homens. Mas primeiro
dá-me um sentido beijo, desses que laceram

o coração: dá-me também as tuas mãos,
pois estarás longe de mim por muito tempo!...

Acariciando os cabelos e o rosto de IFIGÊNIA

Ah! Colo! Ah! Rosto! Ah! Teus belos cabelos louros!...
Como será funesta para vós a Frígia!...
Que mal imenso Helena vos está fazendo!...
Mas me detenho aqui, pois acariciando-vos
sinto meus olhos cheios de incontidas lágrimas!...
Entra depressa nesta tenda, minha filha!

IFIGÊNIA *entra na tenda e* AGAMÊMNON *passa a dirigir-se a* CLITEMNESTRA

Perdoa-me, filha de Leda — é uma súplica! —
se me comovo fortemente no momento
de dar em casamento a Aquiles minha filha.
Esta separação me faz feliz mas dói,
pois para um pai querente é sempre angustioso
depois de dispensar cuidados incontáveis
a seus queridos filhos, vê-los de repente
passarem de sua família para outra.

CLITEMNESTRA

Estou compreendendo bem teus sentimentos;
podes ter a certeza de que eu também,
longe de censurar-te, sofrerei demais
quando tiver de conduzir a minha filha
ao casamento; mas é esta a tradição
e o tempo diminuirá a minha dor.
Sei o nome do noivo a quem já prometeste
nossa querida filha, mas quero saber
em que família e em que terra ele nasceu.

AGAMÊMNON

O Ásopo[29a] sagrado foi o pai de Egina...

CLITEMNESTRA

E que mortal ou deus a teve como esposa?

AGAMÊMNON

Foi Zeus[30]; Egina deu à luz o ilustre Éaco,
pai de dois filhos e soberano de Enone[31].

CLITEMNESTRA

E qual dos filhos de Éaco herdou o trono?

AGAMÊMNON

Peleu, que se casou com a filha de Nereu[32].

CLITEMNESTRA

O deus a deu em casamento ao pretendente,
ou este a quis contrariando a divindade?

AGAMÊMNON

Zeus prometeu-a e Nereu a entregou.

CLITEMNESTRA

Onde foram as núpcias? Em pleno mar?

AGAMÊMNON

Não; os dois se casaram na gruta de Quíron[33],
lá nas encostas sacrossantas do alto Pélion.

CLITEMNESTRA

Onde, segundo dizem, moram os Centauros?

AGAMÊMNON

Sim, e foi lá que os deuses todos celebraram
a festa nupcial de Tétis e Peleu.

CLITEMNESTRA

Foi Tétis quem criou Aquiles, ou Peleu?

AGAMÊMNON

Foi Quíron; o pai não queria que seu filho
aprendesse os costumes dos mortais perversos.

CLITEMNESTRA

O mestre foi um sábio, e Peleu também,
que pôs o filho nas mãos de tal preceptor.

AGAMÊMNON

Já sabes quem se casará com tua filha.

CLITEMNESTRA

Não tenho a mínima razão para queixar-me.
Dize-me em que lugar da Grécia ele mora.

AGAMÊMNON

Perto do rio Apídano, na Ftia fértil.

CLITEMNESTRA

É para lá que vai com ele nossa filha?

AGAMÊMNON

A escolha é dele quando for o seu marido.

CLITEMNESTRA

Desejo-lhes ventura. Quando se unirão?

AGAMÊMNON

Quando chegar a fase propícia da lua.

CLITEMNESTRA

Já foi oferecido à deusa o sacrifício
preparatório das bodas de nossa filha?

AGAMÊMNON

Ocupo-me precisamente disto agora.

CLITEMNESTRA

Cuidas também da grande ceia nupcial?

AGAMÊMNON

Depois do sacrifício trataremos dela.

CLITEMNESTRA

Onde celebrarei a festa das mulheres?

AGAMÊMNON

Aqui, perto das naus de popas enfeitadas.

CLITEMNESTRA

Tanto melhor, pois essa festa é necessária.
Queiram os deuses que tudo transcorra bem!

AGAMÊMNON

Sabes, mulher, qual é o teu dever? Escuta-me.

CLITEMNESTRA

Que vais dizer? Acostumei-me a obedecer-te.

AGAMÊMNON

Lá no lugar onde o futuro esposo está...

CLITEMNESTRA

Farás sem mim o que é obrigação da mãe?

AGAMÊMNON

... presidirei as núpcias junto aos gregos todos.

CLITEMNESTRA

Onde devo ficar durante a cerimônia?

AGAMÊMNON

Retorna a Argos, vai cuidar das outras filhas.

CLITEMNESTRA

Mas, como? Deixarei aqui minha criança?
E quem conduzirá a chama nupcial?

AGAMÊMNON

Eu mesmo portarei a chama imprescindível.

CLITEMNESTRA

Isso é estranho... Tu não pensas nos costumes...

AGAMÊMNON

Não devem ver-te entre os inúmeros soldados.

CLITEMNESTRA

A mãe deve levar a filha até o noivo!

AGAMÊMNON

Não deves deixar tuas filhas sós em Argos!

CLITEMNESTRA

Elas estão seguras nos quartos das virgens.

AGAMÊMNON

Deves-me obediência!

CLITEMNESTRA

Nesta hora, não!
Juro pela deusa de Argos[34]! Aqui fora
a competência é toda tua, mas em casa
e quando o assunto são as bodas de uma filha,
tenho o direito de tomar as providências!

CLITEMNESTRA entra na tenda

AGAMÊMNON

Ah! Meus esforços foram totalmente inúteis
e minhas tênues esperanças me iludiram!...
Tentei em vão tirar minha mulher daqui,
usei ardis e todos os expedientes
na ânsia de enganar os entes mais queridos,
mas não tive sucesso algum. Resta-me apenas
ir consultar agora o adivinho Calcas,
executor dos sacrifícios nos altares;
quero saber qual é a força inabalável
que para minha desventura inda retém
aqui em Áulis as naus gregas, e também
os desígnios da deusa que, se lhe são caros,
para mim são fatais. O homem de bom senso
deve ter em seu lar uma boa mulher
e sempre dócil; se não for assim, não case!

Sai AGAMÊMNON

CORO

A expedição dos gregos, numerosa,
irá para perto dos turbilhões
brilhantes do Simóis[35], da cor de prata,
com suas naus e seu enorme exército;
ela estará pronta para atacar
as altaneiras muralhas de Ílion[36],
obra de Febo[37]. Lá, segundo dizem,
Cassandra, com sua coroa feita
de folhas sempre verdes de loureiro,
solta seus longos e louros cabelos

quando Apolo profético a bafeja
com seu sopro divino; alguns troianos
acorrerão ao topo das muralhas;
outros, mais numerosos, estarão
em volta delas, quando Ares[38] divino,
com seu escudo brônzeo, vier
altivamente nas proas ornadas
das naus que fendem as ondas do mar,
impulsionadas pelos remos fortes,
para levar, da cidade de Príamo
de volta à Grécia, Helena, a bela irmã
dos dois Diôscuros[39] filhos de Zeus,
graças às lanças ávidas de sangue
dos valentes aqueus[40] e a seus escudos.
Depois, cercando com bravos guerreiros
a cidadela dos troianos — Pérgamo
e suas torres feitas só de pedras —,
fazendo rolarem muitas cabeças
para longe dos respectivos troncos
e reduzindo Tróia toda a ruínas
até os alicerces, o mesmo Ares
fará correrem incontáveis lágrimas
dos olhos de Hécuba, mulher de Príamo,
e de seus filhos. Só então Helena,
filha de Zeus, há de chorar também
por ter sido infiel a seu esposo.
Queiram os céus que nunca mais provemos,
nem nós, nem os filhos de nossos filhos,
expectativa semelhante àquela
das esposas da Lídia e da Frígia,
que irão dizer em pranto umas às outras
tecendo panos já como cativas:
"Quem, arrastando-me grosseiramente
por meus cabelos louros bem trançados,
me arrancará de minha triste pátria,
agora em ruínas só por tua causa,
filha de um cisne de longo pescoço
(se é verdade, como diz a lenda,
que Leda se tornou mulher do cisne
em que Zeus se metamorfoseou)?
Ou esses contos muito conhecidos
seriam pura e simplesmente fábulas

sem fundamento e sem um bom propósito,
gravadas pelas Musas em plaquetas[41]?"

Entra AQUILES

AQUILES

Quem poderá dizer-me onde posso encontrar
neste local o chefe de todos os gregos?
Qual de seus servidores avisá-lo-á
de que Aquiles, filho de Peleu ilustre,
está aqui em frente à tenda procurando-o?
Nem todos nós estamos nesta expectativa
dos ventos favoráveis com o mesmo ânimo.
De fato, entre aqueles que esperam nesta praia,
alguns, livres do jugo matrimonial,
partiram de seus lares agora vazios;
outros deixaram neles filhos e mulheres;
tão grande é o desejo que levou a Grécia
a esta expedição imposta pelos deuses.
Devo dizer primeiro o que tenho direito
de pretender: que fale cada um por si,
tal como estou fazendo. Parti da Farsália
abandonando minha pátria e meu pai,
Peleu, para ficar retido aqui à espera
de ventos favoráveis, tentando conter
meus comandados mirmidões[42], que me pressionam
dizendo sem parar: "Que estamos aguardando,
Aquiles, para finalmente prosseguir
em direção a Ílion? Age prontamente,
se tens de agir, ou leva de volta a seus lares
todos os componentes de teu contingente,
livrando-os dessa incerteza provocada
pela demora interminável dos Atridas!"[43]

CLITEMNESTRA

Saindo da tenda de AGAMÊMNON

Do interior da tenda ouvi tuas palavras,
filho de Tétis, e estou vindo até aqui.

AQUILES

Santo pudor! Quem é esta mulher que ouço?
E quanta distinção há em sua beleza!

CLITEMNESTRA

Não é surpreendente que não me conheças;
nunca nos vimos antes. Devo elogiar
o teu respeito pelas regras do bom senso.

AQUILES

Quem és? Por que vieste até o acampamento
dos gregos incontáveis aqui reunidos,
uma mulher sozinha onde há tantos homens,
entre os guerreiros protegidos por escudos?

CLITEMNESTRA

Meu nome é Clitemnestra; sou filha de Leda,
e meu marido é Agamêmnon, rei de Argos.
Disseste o que importa em algumas palavras
e da maneira mais cortês; se eu insistisse
em conversar contigo, um homem, erraria.

AQUILES dá a impressão de que ia retirar-se

Detém-te! Por que foges? Dá-me a mão direita
preludiando ventura no casamento.

AQUILES

Que dizes? Eu, pegar em tua mão, senhora?
Como ousaria levantar depois os olhos
para Agamêmnon se tocasse neste instante
no que não tenho o direito de tocar?

CLITEMNESTRA

Tens certamente este direito, pois em breve
irás casar com Ifigênia, minha filha,
tu, filho da Nereide, senhora dos mares.

AQUILES

Mas, de que núpcias falas, nobre Clitemnestra?
Estou pasmo de ouvir-te e até me pergunto
se algum delírio te inspirou quando disseste
essas palavras totalmente inesperadas.

CLITEMNESTRA

Este mal-entendido é humano e natural
quando novos amigos falam sobre núpcias.

AQUILES

Jamais pedi a tua filha em casamento
e em tempo algum os dois Atridas me disseram
uma simples palavra quanto a este assunto.

CLITEMNESTRA

Que significaria tudo isto, então?
Tens o direito de estranhar minhas palavras,
pois eu também estou perplexa com as tuas.

AQUILES

Devemos procurar a solução do enigma
fazendo algumas conjecturas, eu e tu,
pois nos equivocamos em nossa conversa.

CLITEMNESTRA

Alguém agiu comigo de maneira indigna!
Preparam núpcias evidentemente falsas
e coro só de imaginar que fazem isso!

AQUILES

Talvez nos estejam tratando, a ti e a mim,
como simples joguetes, mas não te aborreças.
Mostra-te indiferente a essa encenação.

CLITEMNESTRA

Adeus, Aquiles. Já não ouso levantar
os olhos para ti depois de me induzirem
a dizer-te mentiras tão constrangedoras.

AQUILES

E eu também quero dizer-te adeus agora;
vou procurar o teu esposo em sua tenda.

AQUILES encaminha-se para a tenda; o VELHO incumbido no início por AGAMÊMNON de levar sua mensagem a CLITEMNESTRA entreabre cautelosamente a entrada de uma tenda próxima

VELHO

Dirigindo-se a AQUILES

Detém-te, estrangeiro da mesma raça de Éaco;
é contigo que falo, filho de uma deusa!

Dirigindo-se a CLITEMNESTRA

Espera um pouco também tu, filha de Leda!

AQUILES

Quem me chamou assim entreabrindo a porta?
A voz dessa pessoa está muito embargada.

VELHO

Sou um escravo. Não me orgulho deste título;
o meu destino não me fez pretensioso.

AQUILES

Dize: de quem tu és escravo? Meu não és;
o acampamento de Agamêmnon é distante.

VELHO

Apontando para CLITEMNESTRA

Pertenço àquela que está diante da tenda.
Seu pai, o nobre Tíndaro, me deu a ela.

AQUILES

Podes falar; estamos sós. Mas sai daí!

VELHO

Ah! Meu cruel destino! Ah! Minha precaução!
Deixai-me proteger quem eu quero salvar!

AQUILES

Estas palavras certamente prenunciam
perigos iminentes e trazem receios

CLITEMNESTRA

Dirigindo-se ao VELHO

Se me pedes a bênção, fala; não hesites.

VELHO

Estás ciente da afeição com que te sirvo,
a ti mesma, rainha, e a teus filhos todos...

CLITEMNESTRA

Sei que és um velho servo de minha família.

VELHO

... e de que teu esposo, meu rei Agamêmnon,
me recebeu como uma parte de teu dote.

CLITEMNESTRA

Foste comigo para Argos e eras meu.

VELHO

Isto é verdade e sempre te fui devotado
(não tanto a teu marido quanto a ti, rainha).

CLITEMNESTRA

Explica-te, afinal! Que tens a me dizer?

VELHO

O pai de tua filha amada — sim, seu pai! —
deve sacrificá-la com as próprias mãos!

CLITEMNESTRA

Como? Tuas palavras são abomináveis!
Perdeste sem a menor dúvida a razão!

VELHO

Com um punhal mortífero ele cortará
o alvíssimo pescoço da moça infeliz.

CLITEMNESTRA

Ah! Pobre filha! Meu marido está demente!

VELHO

Ele está plenamente lúcido, a não ser
em relação a ti e à tua filha e dele.
Nisto é verdade que ele perdeu a razão.

CLITEMNESTRA

De onde lhe veio este desígnio tenebroso?
Que gênio malfazejo o impele agora a isto?

VELHO

Foi um oráculo revelado por Calcas.
É para que o exército possa chegar...

CLITEMNESTRA

Aonde? Ah! Como é grande a nossa desventura,
minha e daquela que seu pai irá matar!...

VELHO

Aonde? À cidade de Dárdano[44] antiqüíssimo
para que Menelau retome Helena bela.

CLITEMNESTRA

Então a sorte liga o retorno de Helena
ao sangue puro de minha filha inocente?

VELHO

Completo a informação: o pai de tua filha
deve sacrificá-la a Ártemis divina.

CLITEMNESTRA

Mas qual é a razão dessas bodas fictícias
para as quais me trouxeram de meu lar em Argos?

VELHO

Queriam que tu mesma e tua jovem filha
viessem logo e de bom grado, convencidas
de que ela aqui se casaria com Aquiles.

CLITEMNESTRA

Ah! Minha filha!... Vinhas tão impaciente
sem nunca imaginar que te estavam trazendo
apenas para tua e minha perdição!...

VELHO

A sorte de ambas é de fato deplorável!...
Foi tenebroso o plano do rei Agamêmnon!

CLITEMNESTRA

Ai! Ai de mim! Estou perdida! Não consigo
conter as minhas lágrimas e meus soluços!

VELHO

Chora! É dolorosa a perda de uma filha.

CLITEMNESTRA

Mas, como sabes disto, velho? Quem te disse?

VELHO

Mandaram-me levar uma nova mensagem
contrariando as ordens dadas na primeira.

CLITEMNESTRA

Para impedir-me de trazer a minha filha
de encontro à morte, ou para que eu participasse?

VELHO

Para salvá-la. Quando quis voltar atrás,
o teu marido recobrou a sensatez.

CLITEMNESTRA

Por que, se a tinhas, não me levaste a mensagem?

VELHO

Ah! Menelau, o causador de vossos males,
tirou-a rudemente destas minhas mãos.

CLITEMNESTRA

Dirigindo-se a AQUILES

Filho de Tétis divina e Peleu! Ouviste?

AQUILES

Ouvi, senhora, a história de tua desgraça
e quanto a mim não ficarei indiferente.

CLITEMNESTRA

Agora matarão a minha pobre filha
depois de usarem o ardil de falsas bodas!

AQUILES

Também posso queixar-me, e muito, de Agamêmnon;
não serei insensível a trama tão sórdida!

CLITEMNESTRA

Não coro, eu, simples mortal, ajoelhando-me
à tua frente, filho de uma divindade.
Por que serei altiva? Tenho de esforçar-me
ao máximo para salvar minha Ifigênia.
Tu, que nasceste de uma deusa, bravo Aquiles,
socorre-me em meu infortúnio! Socorre
aquela que seu pai chamou de tua noiva,
mentindo, é certo, mas de qualquer forma ajuda-a!
Eu mesma a trouxe até aqui acreditando
que ela seria tua digna companheira
e preparei-a para ti, mas descobrimos
que vim com ela a Áulis para vê-la morta!
Seria uma vergonha para ti, Aquiles,
se não quisesses defendê-la neste transe
(se não te uniste a ela pelo casamento,
de qualquer forma te chamaram de seu noivo,
de noivo desta criatura infelicíssima!).
Por este queixo teu, por esta mão direita,
por tua mãe, estou pedindo, suplicando-te:
em vez de permitires que teu nome ilustre
traga à nossa memória minha perdição,
é justo que ele seja o de meu salvador!

Abraçando os joelhos de AQUILES

Restam-me apenas como altar os teus joelhos;
não tenho outros amigos a quem recorrer.
Sem dúvida já percebeste claramente
o plano de Agamêmnon — um primor de audácia
e crueldade, enquanto eu, frágil mulher,
chego, como estás vendo, a este acampamento
da expedição naval, cheio de homens sôfregos
ousados para o mal, apesar de capazes
de agir corretamente se lhes aprouver.
Se decidires estender sobre esta mãe
tuas mãos protetoras, estaremos salvas;
se me deixares só, não vejo salvação.

CORO

É admirável a maternidade,
este possante sortilégio que,
sendo comum a todas as mulheres,
lhes dá o ânimo para sofrerem
males sem conta por causa dos filhos.

AQUILES

Um sentimento generoso invade agora
meu coração; ele sabe compadecer-se
diante de uma desventura e alegrar-se
prudentemente em face da felicidade;
este é o conselho que nos dá a reflexão,
a nós, mortais, para ajustarmos nossa vida
aos mandamentos da razão e do bom senso.
Em certas horas preferimos ignorar
as sábias advertências da moderação,
mas há ocasiões em que temos de ouvi-las.
Quanto a mim mesmo, fui criado na morada
do mais bondoso de todos os homens — Quíron —,
onde aprendi a ser adepto da franqueza,
sempre disposto a obedecer aos dois Atridas
quando são justas suas determinações
e a não obedecer se parecerem más;
assim demonstro aqui o que farei em Tróia,
pois meu caráter sempre é independente.
Minha lança, aliás, honrará sempre Ares

em tudo que na guerra depender de mim.
E quanto a ti, tratada agora cruelmente
por quem deveria ser teu melhor amigo,
levado pela imensa comiseração
que ora me inspiras, mesmo sendo ainda jovem
farei por ti neste momento o que puder
para te confortar; jamais a tua filha
será sacrificada por seu próprio pai
depois de ser chamada aqui de minha noiva!
Não pretendo de forma alguma, Clitemnestra,
associar minha intenção à trama torpe
de teu esposo, pois meu nome respeitado
seria o cúmplice da morte desta virgem
sem que eu tivesse levantado minha lança.
Tira-lhe a vida teu esposo, mas meu nome,
antes imaculado, deixará de sê-lo
se pela conivência minha e a pretexto
de me ser dada em casamento ela for morta,
vítima lamentável de um crime horroroso!
Eu passaria estranhamente a ser o alvo
de ultrajes humilhantes, como se meu pai
não fosse o bom Peleu e sim um gênio mau.
Chamar-me-iam de covarde com razão
entre todos os gregos, de homem sem valor,
enquanto Menelau seria incluído
entre as pessoas de coração generoso,
se meu nome passasse a ser arma homicida
para servir a teu esposo. Não e nunca!
Juro, invocando o deus que reside entre as ondas,
Nereu antigo, pai de Tétis, minha mãe:
o rei de Argos, Agamêmnon poderoso,
não tocará em Ifigênia, tua filha,
nem mesmo em seu vestido, com as pontas dos dedos!
Ou então Sípilos[45], um mero ajuntamento
de gente bárbara, de onde estes comandantes
do exército dos gregos tiram sua origem,
será uma cidade muito poderosa,
enquanto a Ftia, minha pátria e de meus pais,
não será celebrada gloriosamente!
É para sua própria infelicidade
que o adivinho Calcas vai oferecer
junto ao altar as libações e as primícias!

Que é um adivinho? Um mortal como nós
que quando tudo está tranqüilo e corre bem
diz algumas verdades entre mil mentiras,
mas nas horas difíceis não se manifesta,
como se nada de importante acontecesse.
Não falo assim por causa dessas falsas núpcias,
pois muitas virgens querem casar-se comigo,
mas o procedimento do rei Agamêmnon
em relação a mim é inqualificável.
Ele sem dúvida teria de pedir-me
consentimento para mencionar meu nome
antes de usá-lo junto a ti e à tua filha,
se eu fosse o homem a quem tu quisesses dá-la
em casamento com o maior entusiasmo;
eu mesmo o emprestaria aos gregos ansiosos
se dependesse disso a ida para Ílion,
e não teria recusado este serviço
à justa causa de meus companheiros de armas.
Parece-me, porém, que pouco ou nada valho
na opinião dos chefes de tantos soldados,
para quem tanto faz tratar-me bem ou mal.
As minhas armas brevemente mostrarão
se está comigo ou com eles a razão,
e antes de partirmos para a terra frígia
elas se tingirão de sangue derramado
se alguém quiser levar daqui a tua filha!
Como se eu fosse um deus com todos os poderes
fizeste-me uma súplica há pouco tempo,
rainha; eu não era noivo mas vou ser!

CORO

Tuas palavras, filho de Peleu,
são realmente dignas de ti mesmo
e da deusa marinha tua mãe,
Tétis, em toda parte venerada.

CLITEMNESTRA

Ah! Como poderei louvar-te nesta hora
sem parecer exagerada nas palavras,
ou sem desmerecer tua benevolência,

ficando muito aquém de todos os teus méritos?
De fato, os homens realmente generosos
têm aversão por quem os louva em demasia.
Sinto vergonha de me lamentar aqui
por causa desta desventura apenas minha,
pois não te atingem os meus próprios infortúnios.
Mas coaduna-se com os homens generosos
prestar ajuda a criaturas infelizes,
ainda que sejam alheios a seus males.
Tem piedade, então, de mim, pois minha sorte
é realmente digna dessa piedade[46].
No primeiro momento fiquei exultante
porque pensei que virias a ser meu genro,
porém foi curta a duração dessa esperança;
talvez mais tarde o sacrifício de Ifigênia
seja também um mau presságio para ti
com vistas a teu casamento no futuro.
Mas tuas primeiras palavras e as finais
foram animadoras; minha pobre filha,
se te opuseres, inda poderá ser salva.
Desejas que ela venha abraçar-te os joelhos
como uma simples suplicante em desespero?
Essa atitude não seria decorosa
para uma virgem, mas se tiveres vontade
ela virá, baixando os olhos com vergonha.
E se, mesmo sem ela, eu conseguir o apoio
que ora pleiteio, então deixemo-la onde está;
o respeito ao decoro é sempre desejável,
embora as exigências do pudor não devam
prevalecer quando só há uma saída.

AQUILES

Não tragas tua filha para me encontrar;
não devemos expor-nos à reprovação
da turba de ignorantes, pois quando um exército
está desobrigado de suas tarefas
distrai-se com maledicências e calúnias.
O resultado para nós será o mesmo,
quer supliqueis, quer não, tu mesma e tua filha.
O meu cuidado mais premente nesta hora
é vos livrar desta terrível ameaça.

Ouve-me bem; minhas palavras serão francas;
se eu te iludir, se te ultrajar sem ter motivos,
leve-me a morte, mas se eu conseguir salvar
a tua filha, dê-me longa vida o céu!

CLITEMNESTRA

Desejo-te ventura. Continua sendo
o protetor dos infelizes sem amparo!

AQUILES

Escuta-me, para sermos bem-sucedidos.

CLITEMNESTRA

Que vais dizer? Serás ouvido; tens direito.

AQUILES

Tentemos outra vez persuadir o pai
a ter melhores sentimentos quanto à filha.

CLITEMNESTRA

Seu ânimo fraqueja; ele teme as tropas.

AQUILES

Por que não tentamos opor às razões dele
outras razões mais fortes para convencê-lo?

CLITEMNESTRA

Vã esperança!... Mas, que posso, então, fazer?

AQUILES

Vai sem a mínima demora suplicar-lhe
para não imolar a sua própria filha;
se ele persistir, volta e recorre a mim.
Se, ao contrário, teu poder persuasivo

bastar para conciliar ambas as partes,
não é conveniente a minha interferência;
ambas estarão salvas sem o meu empenho.
Assim terei agido da melhor maneira
em face de um amigo e nenhum dos soldados
se atreveria a censurar-me se eu chegasse
pela prudência apenas, e não pela força,
a dar a este caso a solução melhor.
Se tudo acontecer da forma desejada,
o resultado, ainda que eu não apareça,
pode alegrar teu coração e o coração
de alguém a quem dedico uma grande amizade.

CLITEMNESTRA

Tua maneira de falar é muito sábia;
devo seguir sem vacilar os teus conselhos.
Mas, se nossos esforços não nos conduzirem
ao resultado a que desejamos chegar,
onde será possível ver-te novamente?
Aonde eu deveria ir — pobre de mim! —
para encontrar nesta situação difícil
o apoio indispensável de teu braço amigo?

AQUILES

Esperarei por ti como guarda atilado
em um lugar conveniente; não é bom
que sejas vista em correrias incessantes
tentando descobrir-me entre as tendas dos gregos.
Não queiras aviltar o sangue de teu pai;
Tíndaro não merece ser depreciado,
pois seu renome é grande entre nossos soldados.

CLITEMNESTRA

Assim será; ordena e obedecerei.
Se há de fato deuses, tu serás feliz;
se não existem, por que nos atormentamos?

CLITEMNESTRA entra na tenda de AGAMÊMNON, enquanto AQUILES afasta-se

CORO

Que música de bodas entoada
na doce flauta líbia[47], seguida
pelos acordes frementes da cítara,
inseparável amiga das danças
ao som da síringe feita de canas[48],
se pôde ouvir com a maior clareza
quando, escalando o Pélion, as Musas
com seus belos cabelos radiosos
ferindo o solo com suas sandálias
de ouro cintilante apareceram
na festa oferecida pelos deuses
para alegrar as núpcias de Peleu?
Com sua doce voz melodiosa,
lá na montanha onde os Centauros vivem
elas cantavam nos bosques espessos
loas a Tétis e ao filho de Éaco.
O frígio Ganimedes[49], favorito
no leito em que Zeus se deliciava,
vertia o néctar nas enormes taças
feitas de ouro, e sobre a areia clara
as filhas de Nereu — eram cinqüenta —
formavam uma roda para as danças
que divertiam todos os presentes.
Tendo nas mãos as longas lanças feitas
de galhos de pinheiro, e com a fronte
cingida de viçosos ramos verdes,
compareceram à festa divina
os Cíclopes compondo um grande bando
para beberem na taça de Baco[49a].
"Ah! Glorioso filho de Nereu",
gritavam eles, "também glorioso
para a Tessália extremamente fértil
será o nascimento de teu filho,
vaticinado pelo vate Quíron,
o famoso adivinho para quem
não há segredos na arte profética;
com seus bravos guerreiros mirmidões[50]
armados de fortes lanças certeiras
e protegidos por grandes escudos,
ele virá para levar as chamas

e a ruína mais completa e irreparável
à terra formosíssima de Príamo.
Uma armadura feita por Hefesto[51]
toda de ouro, cobrirá seu corpo,
dom da divina Tétis, sua mãe,
de cujos flancos ele nascerá."
Ao som alegre do hino nupcial
todos os imortais abençoaram
a união da deusa venerável,
Nereide mais famosa, e de Peleu.
Mas os argivos, ávidos de guerra,
pobre Ifigênia, logo cobrirão
tua bela cabeça virginal
com véus funestos para o sacrifício!
Como se fosses novilha passiva
ainda pura e de corpo malhado,
vinda de atalhos de alguma montanha,
tirar-te-ão a vida ensangüentando
impiedosamente o teu pescoço,
embora não tenhas sido criada
ao som das gaitas dos rudes vaqueiros.
Muito ao contrário, cuidava de ti
a tua nobre mãe, e junto dela
crescias para mais tarde vestir
os trajes com que se adornam as noivas
nas núpcias com um dos filhos de Ínaco[52].
Perderam as imagens do Pudor
e da Virtude sua força antiga,
pois é onipotente a impiedade
e os homens desdenhosos da bondade
desviam-se de ambos e o Desmando
se sobrepõe às leis, e as criaturas
deixaram de juntar os seus esforços
para evitar que a cólera divina
as extermine inapelavelmente.

CLITEMNESTRA sai da tenda de AGAMÊMNON

CLITEMNESTRA

Dirigindo-se às mulheres do CORO

Estou saindo desta tenda para ver
se posso descobrir onde está meu esposo,
que se afastou do acampamento e não voltou
até agora. Em sua prolongada ausência
minha filha infeliz apenas soluçou;
gemidos incessantes saem de seus lábios
nos variados tons do maior desespero,
pois ela já conhece os planos de seu pai.

Entra AGAMÊMNON

No mesmo instante em que me referia a ele
posso vê-lo avançando em nossa direção;
dentro de pouco tempo vou interrogá-lo
e o forçarei a confessar o crime ímpio
que ele tramou contra sua filha Ifigênia.

AGAMÊMNON

Encontro-te fora da tenda em boa hora,
filha de Leda; é minha obrigação dizer-te,
enquanto nossa filha ainda está ausente,
fatos que uma noiva não deve saber.

CLITEMNESTRA

E quais são esses fatos que desejas tanto
trazer a meu conhecimento aqui e agora?

AGAMÊMNON

Ordena à tua filha que saia da tenda
e venha só em companhia de seu pai.
Já está pronta a água para o sacrifício,
bem como os grãos de cereais que o sacerdote
irá lançar ao fogo purificador;
estão também em seu lugar e preparadas
as tímidas novilhas, todas consagradas,
que terão de morrer antes do casamento
junto do sacro altar de Ártemis divina
em meio a torrentes de sangue quase negro.

CLITEMNESTRA

Falaste muito bem, mas não acho palavras
para qualificar teus atos como quero.

Dirigindo-se a IFIGÊNIA *no interior da tenda*

Sai dessa tenda, minha filha! Já ouviste
tudo que teu pai preparou; põe em teus braços,
coberto por um véu, teu irmãozinho; traze-o.

Sai da tenda IFIGÊNIA *chorando com Orestes nos braços.* CLITEMNESTRA *dirige-se a* AGAMÊMNON

Agora podes ver a tua filha aqui,
obedecendo às tuas ordens. Quanto ao resto,
direi eu mesma em nosso nome — dela e meu.

AGAMÊMNON

Por que estás chorando tanto, minha filha?
Por que não há contentamento em teu olhar?
Por que cobres os olhos com teu fino véu,
baixando deste modo o rosto para o chão?

CLITEMNESTRA

Ai! Ai de mim! Por onde posso começar
a descrição de tantos males que me esmagam?
Todos se me apresentam para iniciar,
para findar e para entremear — sim, todos!

AGAMÊMNON

Que há? A expressão é a mesma nos dois rostos.
Feições angustiadas, olhos lacrimosos...

CLITEMNESTRA

Responde com franqueza ao que vou perguntar.

AGAMÊMNON

Pois interroga-me sem mais vacilações.

CLITEMNESTRA

Preparas-te para matar a nossa filha?

AGAMÊMNON

Ousas falar assim? Suspeitas, Clitemnestra,
do que não tens motivos para suspeitar?

CLITEMNESTRA

Acalma-te, Agamêmnon! Responde primeiro.

AGAMÊMNON

Se forem razoáveis as tuas perguntas
terás de mim respostas também razoáveis.

CLITEMNESTRA

Atém-te ao nosso assunto, que eu também me atenho.

AGAMÊMNON

Ah! Sorte venerável! Ah! Destino! Ah! Gênio
que segues os meus passos incansavelmente!

CLITEMNESTRA

E os meus também, e os passos da triste Ifigênia!
O mesmo Gênio rancoroso nos persegue.

AGAMÊMNON

Quem está sendo injusto em relação a ti?

CLITEMNESTRA

Perguntas-me? Provas que perdeste a razão!

AGAMÊMNON

À parte

Estou perdido! Revelaram meus segredos!

CLITEMNESTRA

Obtive informações; já sei o que preparas.

Após alguns momentos de silêncio

Este silêncio teu é uma confissão,
da mesma forma que os suspiros ofegantes.

AGAMÊMNON

Devo calar-me; de que serve acrescentar
o desrespeito à minha infelicidade,
faltando-te com a sinceridade agora?

CLITEMNESTRA

Ouve-me, então, pois não pretendo ser omissa,
nem vou valer-me de alusões ou circunlóquios.
Principiando — escuta logo este detalhe —,
casamo-nos violentando os meus desejos.
Mataste um dia meu primeiro esposo, Tântalo;
arrancaste meu filho de minhas entranhas
para esmagá-lo ainda vivo contra o solo.
Depois, meus dois irmãos, ambos filhos de Zeus[53],
vieram contra ti em seus corcéis brilhantes;
meu pai, o idoso Tíndaro, a quem recorreste
como um aflito suplicante que implorava
o seu auxílio, salvou-te do degredo
prontificando-se a ser o teu protetor
e dando-te o direito de casar comigo.
Contive meu ressentimento desde então;
mostrei-me para ti e para tua casa
uma mulher considerada incensurável
— és testemunho disto. A própria Afrodite
nada pôde fazer para me desviar

de uma conduta obediente à castidade.
Graças a meus cuidados prosperaste sempre,
de tal maneira que em teu lar tudo era alegre
e fora dele tua fortuna crescia.
Uma mulher assim é um prêmio muito raro
para o marido, enquanto as companheiras más
abundam para desespero dos esposos.
Enfim, depois de dar à luz três filhas tuas,
pari um filho, Orestes, que estás vendo aqui;
mas hoje queres, pai cruel, arrebatar-me
impiedosamente uma de nossas filhas!
E se te perguntares por que vais matá-la,
que poderás dizer? Fala! Responde logo!

Silêncio

Queres que eu responda por ti? Então escuta:
para que Helena volte a ser de Menelau!
É realmente nobre dar seus próprios filhos
como resgate de uma esposa sem pudor!...
Assim recuperamos o mais detestável
ao preço do que temos de mais valioso!
Se fores para a guerra deixando-me só
durante a longa expedição, que sentimentos
queres que eu tenha, abandonada em nosso lar,
vendo sempre vazios todos os lugares
onde se acomodava esta menina amada,
vazio para sempre seu quarto de virgem?
Quando eu estiver só, entregue às minhas lágrimas,
repetirei vezes sem conta a minha queixa:
"O pai que te deu vida te matou, filhinha!
Sim! Ele te matou! Não foi outra pessoa
nem outra mão!" Terás coragem de voltar
à tua casa um dia, depois de deixá-la
cheia de ódio? Não faltarão pretextos
para que eu e minhas outras pobres filhas
que vais deixar abandonadas em teu lar
te demos quando regressares lá de Tróia
as merecidas boas-vindas ao bom pai[53a].
Ah! Pelos deuses, Agamêmnon! Não me forces
a ter por ti um rancor nunca imaginado!
Não sejas tão perverso quanto queres ser!

Silêncio

O que tiver de vir virá. Imolarás
a tua própria filha. Que preces farás?
Que graças pedirás, então, para ti mesmo
na hora de tirar-lhe a vida? Com certeza
uma viagem infeliz de volta à Grécia,
pois uma infâmia marcará tua partida.
Posso almejar que sejas venturoso em tudo?
Quem desejar aos assassinos boa sorte
por certo suporá que os deuses são insanos.
Pensas em abraçar os filhos quando as naus
te trouxerem de volta? Não! De forma alguma!
Dize: qual deles poderá sequer olhar-te?
Todos recearão que pretendas matá-los
depois de lhes pedir para se aproximarem!
Tiveste isto em mente, ou te basta ostentar;
pavoneando-te, as insígnias do poder
à frente de um exército? Mas deverias
dizer a teus subordinados as palavras:
"Quereis partir, soldados, para pelejar
contra os guerreiros frígios? Basta sortear
aquele cujo filho deve perecer."
Seria esta a solução eqüitativa,
em vez de oferecer, como a melhor das vítimas,
a tua própria filha aos combatentes gregos!
Também se poderia considerar justo
que Menelau sacrificasse sua filha,
a virgem Hermione, para resgatar
a sua mãe, já que o interessado é ele.
Serei eu, a esposa mais fiel, então,
que perderei a minha filha, enquanto Helena,
a única culpada, verá novamente
a sua filha no palácio, em Esparta,
após recuperar toda a ventura antiga?
Agora fala! É tua vez! Dize-me, rei,
se não tenho razão; mas, se meus argumentos
te parecerem justos, deves recuar;
não sacrifiques Ifigênia, nossa filha,
mostrando assim que ainda sabes ser sensato!

CORIFEU

Deixa-te convencer, meu rei! É um gesto nobre
unir esforços para a salvação dos filhos!
Nenhum mortal terá opinião contrária.

IFIGÊNIA

Ajoelhando-se diante de AGAMÊMNON com Orestes no colo

Ah! Se eu tivesse, pai, todos os dons de Orfeu,
a eloqüência, a magia de seus cantos
persuasivos, para levar os rochedos
a me seguirem, encantando corações
com minhas falas quando tivesse vontade,
apenas recorrendo a poucos sortilégios!
Mas nada posso oferecer-te além de lágrimas,
única arma de que dispõe uma virgem.
Em vez de ramos que minhas mãos suplicantes
enlaçariam em volta de teus joelhos,
eu conto apenas com o corpo imaculado
que minha mãe e tu puseram neste mundo.
Não me tires a vida antes da hora, pai!
É doce ver a luz do dia! Não me forces
a contemplar as profundezas infernais!
Chamei-te de "meu pai" pela primeira vez[53b]
e me chamaste primeiro de "minha filha";
fui a primeira que, sentada em teus joelhos,
te fez carinhos e provou tuas carícias!
Naquele tempo me disseste alegremente:
"Um dia ver-te-ei feliz, querida filha,
no lar de quem vier a ser o teu esposo,
cheia de vida e ostentando um esplendor
digno de um rei — de mim." Entrelaçando, então,
em volta deste teu pescoço meus bracinhos
que agora tentam enlaçar-te novamente
na hora de implorar-te, eu respondia logo:
"E eu, meu pai, que poderei fazer por ti?
Quando fores mais velho receber-te-ei
em meu palácio como hóspede querido
para pagar todo o desvelo e atenções
da mão que me nutriu durante a infância."

Recordo-me dessas conversas claramente,
mas não te lembras delas e queres matar-me!
Ah! Não e nunca! Por Atreu, teu pai! Por Pêlops[54],
por esta mãe que sofre agora em sua carne
tanto quanto sofreu para me dar à luz!
Que tenho a ver com os amores desastrosos
de Páris e de Helena? Então teria Páris
vindo de Tróia para minha perdição?
Volta teus olhos para mim, meu pai! Contempla-me,
beija-me ao menos para que eu possa levar
uma recordação de ti, se não ouvires
as súplicas de tua filha em desespero!

Dirigindo-se a Orestes, que estava em seu colo

Ainda és um débil defensor, irmão,
de teus entes queridos, mas deves juntar
as tuas lágrimas às minhas, suplicando
a nosso pai que não insista, irredutível,
em matar tua irmã! Em sua inocência
os pequeninos têm o dom de adivinhar
a iminência do infortúnio; não percebes
a súplica silente dos olhos de Orestes?
Respeita, pai, teu próprio sangue! Apieda-te
e poupa-me! Não estás vendo, ajoelhados,
alçando as mãos para teu queixo, estes dois seres
que te amam tanto, este meninozinho e eu,
já grande? Tenho ainda umas poucas palavras
a te dizer, mais fortes que mil argumentos:
ver a brilhante luz celeste é para nós,
simples mortais, o que há de mais agradável;
nas profundezas infernais, muito ao contrário,
tudo reduz-se a nada; preferir a morte
é pura insensatez! Uma vida infeliz
é mil vezes melhor que uma morte feliz!

CORIFEU

Ah! Impudente Helena! A que terríveis males
expões agora os dois Atridas e seus filhos
por causa de tua paixão desenfreada!

AGAMÊMNON

Sei muito bem o que nos deixa compungidos
e o que nem sequer nos comove; amo meus filhos
e seria demente se não os amasse.
Ousar é um suplício enorme para mim
mas não ousar me deixa também infeliz.
Que poderei fazer? É fácil ver daqui
as naus inumeráveis cheias de soldados,
a infinidade de guerreiros valorosos
bem protegidos pelo bronze dos escudos;
a rota pela qual se pode ir a Tróia
está fechada para nossa expedição
se eu não sacrificar nossa filha Ifigênia
seguindo as instruções de Calcas, o adivinho;
os gregos não serão capazes de arruinar
os muros veneráveis da antiga Tróia.
Depois de longa espera paira finalmente
um delirante e incontido entusiasmo
sobre o acampamento de nossos guerreiros;
eles anseiam por zarpar sem mais delongas
em direção às praias onde estão os bárbaros
para pôr fim aos raptos de mulheres gregas;
se eu não cumprir agora mesmo as ordens de Ártemis
eles virão matar nossas filhas em Argos
e eu mesmo e tu e Ifigênia morreremos.
Não penses que Menelau me domina, filha,
pois não me inclino diante de seus caprichos;
é a toda a Grécia que te sacrificarei,
quer eu deseje ou não; é um imperativo
muito mais forte que nossa própria vontade.
Sim, minha filha, é realmente inevitável,
independentemente de ti e de mim,
que nossa pátria seja livre e que os bárbaros
não venham nunca mais raptar mulheres gregas.

Sai AGAMÊMNON

CLITEMNESTRA

Ai! Minha filha! Tua morte me alucina!
Teu pai nos abandona à nossa própria sorte
depois de consagrar-te deste modo ao Hades![55]

IFIGÊNIA

Ai! Minha mãe! O destino cruel arranca
de nossos lábios o mesmo grito de dor!
Devo dizer adeus à luz e despedir-me
deste sol radioso. Ai! Pobre de mim!
Ah! Vales cobertos de neve lá da Frígia
e as escarpadas encostas do monte Ida,
onde o rei Príamo ordenou que abandonassem
uma tenra criança tirada dos braços
de sua mãe para morrer — sim esse Páris
chamado em sua terra de pastor do Ida!
Por que, criado como simples boiadeiro
em seu estábulo, foi ele removido
por ordem de seu pai para perto das águas
translúcidas onde nascem diversas fontes
guardadas pelas Ninfas ao longo de um prado
luxuriante, ornado de flores viçosas,
onde divinas mãos comprazem-se em colher
as rosas e os jacintos? Lá chegou um dia
a gloriosa Palas; lá também chegaram
a pérfida Afrodite e Hera soberana,
acompanhadas pelo prestimoso Hermes,
mensageiro de Zeus. As deusas, orgulhosas,
vangloriavam-se de suas qualidades:
Palas de seus dotes guerreiros, Afrodite
de exacerbar desejos com sua beleza,
e Hera de subir ao leito majestoso
do rei dos deuses; as rivais, cheias de graça,
instavam pelo julgamento desastroso
que decretou a minha morte — ai de mim! —
para trazer de volta às velas das naus gregas
os ventos favoráveis à longa viagem
até a altiva Tróia. O cruel tributo
pedido pela rancorosa deusa Ártemis
— meu sangue virginal — está sendo cobrado.
E aquele que deu vida à desgraçada vítima
— ai, minha mãe! — entrega-a e não a ouve!
Ah! Infeliz de mim! Apenas porque Páris
deteve seu olhar sobre Helena funesta
— sim, a funesta causadora de infortúnios! —
vou dar o último suspiro, imolada

pelo cruel cutelo de meu pai cruel!
Por que o porto de Áulis se prontificou
a receber as naus providas de esporões
feitos de bronze antes da frota navegar
em direção a Tróia? Por que Zeus supremo
soprou brisas desfavoráveis sobre o Êuripo,
opondo-se à partida, Zeus que solta os ventos
de acordo com sua vontade irresistível,
impondo às velas das bem equipadas naus
fortunas várias, a umas alegrias,
a outras contrariedades e impotência,
a umas a partida imediata, a outras
demora desmedida, a outras incerteza?
Ah! Com quantas desditas são aquinhoadas
as frágeis criaturas de existência efêmera,
e como é dura para nós a sujeição
às leis inexoráveis da fatalidade!
Ai! Ai de mim! A quantas provações e males
sujeita-nos a pérfida filha de Tíndaro![56]

CORIFEU

Lamento a tua sorte ao ver-te aniquilada
por males que não deveriam atingir-te!

IFIGÊNIA

Mãezinha! Vejo aproximarem-se os soldados!

CLITEMNESTRA

Quem chega é o próprio Aquiles, minha filha;
imaginávamos que ele fosse teu noivo...

IFIGÊNIA

Abri depressa, escravas, a porta da tenda
para evitar que eu seja vista por Aquiles!

CLITEMNESTRA

Por que tentas fugir, minha filha querida?

IFIGÊNIA

Tenho muita vergonha de encará-lo agora...

CLITEMNESTRA

Revela-me a razão deste teu sentimento.

IFIGÊNIA

Faz-me corar o desenlace destas bodas.

CLITEMNESTRA

Em face da situação que atravessamos
não é cabível tanta sensibilidade.
Fica onde estás e reservemos o pudor
para quando nos for possível ser altivas.

Entra AQUILES seguido por soldados armados

AQUILES

Ah! Infeliz filha de Leda!

CLITEMNESTRA

Isto é verdade...

AQUILES

Circulam entre os gregos clamores sinistros...

CLITEMNESTRA

Que dizes? Que clamores?

AQUILES

... sobre tua filha.

CLITEMNESTRA

Triste proêmio do que vieste dizer-me!...

AQUILES

Gritam que tua filha será imolada.

CLITEMNESTRA

E nenhum grego é contra tal barbaridade?

AQUILES

Eu mesmo me arrisquei...

CLITEMNESTRA

A que, meu bom amigo?

AQUILES

... a ser apedrejado até perder a vida.

CLITEMNESTRA

Para salvar a minha filha?

AQUILES

Sim; foi isso.

CLITEMNESTRA

E quem te ameaçou assim?

AQUILES

Todos os gregos.

CLITEMNESTRA

E o grande contingente de teus mirmidões
não estava perto de ti na ocasião?

AQUILES

Eles se declararam antes contra mim.

CLITEMNESTRA

Dirigindo-se a IFIGÊNIA

Ah! Minha filha! Não nos restam esperanças...

AQUILES

Chamaram-me de escravo de meu coração.

CLITEMNESTRA

Que respondeste?

AQUILES

Que não tirassem a vida
de quem iria partilhar comigo o leito...

CLITEMNESTRA

Resposta justa!

AQUILES

... como seu pai prometeu.

CLITEMNESTRA

E que ele mandou vir de Argos para cá!

AQUILES

Mas tive de ceder aos clamores das tropas.

CLITEMNESTRA

A multidão é um flagelo assustador.

AQUILES

Mas apesar de tudo estarei a teu lado!

CLITEMNESTRA

E lutarás sozinho contra tantos gregos?

AQUILES

Apontando para os soldados que o acompanhavam

Não vês perto de mim estes homens armados?

CLITEMNESTRA

Tua coragem há de ser recompensada!

AQUILES

Ouçam-te os deuses!

CLITEMNESTRA

Minha filha viverá?

AQUILES

Sem dúvida, pois esta é minha vontade.

CLITEMNESTRA

E se chegar aqui alguém para levá-la?

AQUILES

Alguém virá, e com soldados numerosos.
À frente deles deverá vir Odisseu.

CLITEMNESTRA

O parente de Sísifo?[57]

AQUILES

Sim; ele mesmo.

CLITEMNESTRA

Pela vontade dele ou por ordem do exército?

AQUILES

Os gregos o escolheram para vir buscá-la.

CLITEMNESTRA

Encargo muito triste este de macular-se
com um assassinato!

AQUILES

Eu o enfrentarei!

CLITEMNESTRA

Se ela resistir ele a arrastará?

AQUILES

Por seus cabelos louros.

CLITEMNESTRA

Que farei, então?

AQUILES

Poderás ser um anteparo junto a ela.

CLITEMNESTRA

Se depender de mim, ninguém a levará!

AQUILES

Mas ele tentará levá-la brutalmente,
inda que tenha de arrancá-la de teus braços.

IFIGÊNIA

Ah! Minha mãe e tu! Agora vou falar.
Vejo-te, mãe, inutilmente revoltada
contra teu esposo insensível. Não é fácil
ser persistente contra um fato inelutável.
É justo que sejamos gratas a Aquiles
por seu esforço, mas é hora de pensar
que não devemos atrair acusações
do exército contra ti mesma sem vantagens
para nós duas; além disso ainda expomos
nosso aliado e defensor a infortúnios.
Escuta agora, minha mãe, o pensamento
que ora me ocorre ao refletir sobre estes fatos.
Tomei neste momento a decisão final
de me entregar à morte, mas o meu desejo
é enfrentá-la gloriosa e nobremente,
sem qualquer manifestação de covardia.
Pondera, então, comigo, minha mãe querida,
na fama que me há de trazer esta atitude.
A Grécia inteira, nossa generosa pátria,
dirige neste instante os olhos para mim;
dependem só de mim a viagem da frota
e a extinção de Tróia, e de mim depende
eliminar de vez a possibilidade
de os bárbaros tentarem novas agressões
contra as mulheres gregas e futuros raptos
em nossa terra amada, depois de expiarem
a vergonha de Helena levada por Páris.
O fruto de meu sacrifício será este:
propiciando uma vitória à nossa pátria
conquistarei para mim mesma eterna fama.
E mais ainda, não é justo que me apegue
demasiadamente à vida, minha mãe;
deste-me à luz um dia para toda a Grécia,
e não somente para ti. Pensa comigo:
muitos milhares de soldados protegidos

por seus escudos, outros, também numerosos,
empunhando seus remos, terão de arriscar-se
a lutar e morrer pela terra natal
porque ela foi insultada, e minha vida,
a existência de uma única mulher,
poderá ser um óbice a tanto heroísmo?
Isto seria justo? De que subterfúgios
nos valeríamos? Perguntarei ainda:
este guerreiro — Aquiles — terá de lutar
contra o exército dos gregos e arriscar-se
por uma só mulher — por mim —, pois a existência
de um homem só tem certamente mais valor
que a de muitas mulheres juntas[58]? E se Ártemis
quer receber meu corpo em santo sacrifício,
resistirei à deusa, eu, simples mortal?
De modo algum! Darei a minha vida à Grécia!
Matem-me para que desapareça Tróia!
Meu sacrifício me trará renome eterno
como se fosse minhas núpcias e meus filhos
e minha glória! Os gregos mandarão
nos bárbaros, e não os bárbaros nos gregos,
já que eles todos são de uma raça de escravos
enquanto nós nos orgulhamos de ser livres!

CORIFEU

São generosos os teus sentimentos, virgem,
mas Ártemis e teu destino te exterminam.

AQUILES

Ah! Filha de Agamêmnon! Se me desse um deus
a graça inigualável de ser teu esposo
eu me proclamaria o mais feliz dos homens!
Devo felicitar-te e felicito a Grécia!
Falaste nobremente e ages à altura
de tua pátria. Sem ter a pretensão
de entrar em luta contra os deuses imortais,
mais fortes do que tu, estás dignificando
o inevitável a ponto de transformá-lo
em um motivo de ufanismo. Sinto, virgem,
incontido desejo de casar contigo,

agora que mostras a força de teu ânimo,
expondo uma bravura nunca imaginada!
Reflete, então; minha vontade neste instante
é te ajudar e ter-te sempre junto a mim.
Dificilmente poderei viver ainda
(seja minha mãe, Tétis, testemunha disto!)
se não me for dado salvar-te entrando em luta
contra todos os gregos prontos a imolar-te.
A morte é o mais terrível de todos os males.

IFIGÊNIA

Não quis expor ninguém a qualquer mal, Aquiles,
quando externei meus sentimentos há instantes.
Bastar-nos-ão mortes sem conta nos combates
que Helena causará com sua formosura.
Não posso desejar que venhas a morrer
para valer-me nesta hora, nem que mates
outras pessoas; quero a salvação da Grécia,
se meu desejo for bastante para isso.

AQUILES

Tua resolução é realmente nobre
e faltam-me argumentos para demover-te,
pois a tua vontade merece respeito.
Há muita generosidade em tua idéia
(por que deixarei de dizer esta verdade?),
mas inda tens direito de repudiá-la.
Parto levando meus soldados combativos
até perto do altar, não para permitir,
como desejas, mas para impedir teu fim.
Quando vires o gládio perto de teu colo
talvez prefiras aceitar meus argumentos;
se isto acontecer, não deixarei que morras
por causa de tua altivez exacerbada.
Irei com meus guerreiros para o templo de Ártemis;
quando chegares estarei à tua espera.

Sai AQUILES com seus soldados

IFIGÊNIA

Por que não falas, mãe, e choras sem parar?

CLITEMNESTRA

Ah! Infeliz! Tenho razões para afligir-me...

IFIGÊNIA

Pára, senão fraquejo! Ouve um pedido meu.

CLITEMNESTRA

Fala, filhinha. Nada te recusarei.

IFIGÊNIA

Não cortes teus longos cabelos; não te envolvas
em roupas de cor negra[59]; este é o meu desejo.

CLITEMNESTRA

Que dizes, minha filha, quando vou perder-te?

IFIGÊNIA

Não, mãe; tu não me perderás; estarei salva
e minha glória brilhará onde estiveres.

CLITEMNESTRA

Mas, como? Não devo chorar a tua morte?

IFIGÊNIA

Não; tua filha não estará num sepulcro.

CLITEMNESTRA

Então os mortos não devem ter sepultura?

IFIGÊNIA

Meu monumento, mãe, será o altar de Ártemis[60],
augusta deusa filha de Zeus poderoso.

CLITEMNESTRA

Satisfarei o teu desejo; tens razão.

IFIGÊNIA

Sim, pois serei feliz e salvarei a Grécia.

CLITEMNESTRA

Que deverei dizer às tuas irmãzinhas?

IFIGÊNIA

Que também não se cubram de vestidos negros.

CLITEMNESTRA

Devo levar-lhes algumas palavras tuas?

IFIGÊNIA

Sejam felizes! Quanto ao pequenino Orestes,
prepara-o para ser um homem autêntico.

CLITEMNESTRA

Abraça-o, pois nunca mais poderás vê-lo!

IFIGÊNIA

Dirigindo-se a Orestes

Fizeste o que podias, meu querido irmão!

CLITEMNESTRA

Queres que eu faça algo por ti lá em Argos?

IFIGÊNIA

Não tenhas ódio a teu esposo; ele é meu pai.

CLITEMNESTRA

Desejo que ele pague o mal que te fará!

IFIGÊNIA

Ele me imolará para salvar a Grécia.

CLITEMNESTRA

Usando astúcia e covardia contra nós,
mostrou-se indigno de seu pai, o nobre Atreu.

IFIGÊNIA

Quem pode conduzir-me até o altar fatídico?
Ninguém se atreva a me arrastar por meus cabelos!

CLITEMNESTRA

Eu mesma, pois é meu dever acompanhar-te.

IFIGÊNIA

Tu, minha mãe? Não falas ponderadamente!

CLITEMNESTRA

Não tirarei as minhas mãos de tuas vestes!

IFIGÊNIA

Ouve-me: fica! Será menos mau assim
para nós duas, mãe! Desejo que me leve
um destes servos de meu pai ao campo de Ártemis,
onde me matarão.

CLITEMNESTRA

Irás sem mim, então?

IFIGÊNIA

Irei embora para nunca mais voltar...

CLITEMNESTRA

Deixas aqui a tua mãe sem ti, sozinha?

IFIGÊNIA

É como dizes, e não merecias isto!

IFIGÊNIA dá alguns passos

CLITEMNESTRA

Pára!... Não me abandones!

IFIGÊNIA

Não quero que chores!

Dirigindo-se ao CORO

E vós, mulheres, celebrai o meu destino
cantando um hino em honra de Ártemis divina,
filha de Zeus. Desejo agora que esse hino
de bons augúrios seja ouvido pelos gregos
como um feliz presságio para todos eles.
Preparem-se os cestos de flores consagradas!
Que as chamas queimem a cevada ritual
e que meu pai fique no altar do lado certo[60a],
pois vou partir para trazer às tropas gregas
a salvação e a vitória gloriosa!

Mais exaltada

Levai-me, conduzi até o altar aquela
que vos entregará um dia a antiga Ílion
e os frígios! Dai-me muitas coroas de flores
para adornar com elas a minha cabeça!
Ei-la! Trazei a água para a libações!
Formai em frente ao templo e ao altar as danças
em honra de Ártemis, da sacrossanta Ártemis,
a fim de que meu sangue corra e de que eu,
sendo sacrificada — meu destino é este —,

atenda à determinação dos vaticínios.
Ah! Venerável, mais que venerável mãe!
Aqui desejo oferecer-te minhas lágrimas,
pois não permite o ritual que eu as derrame
perto do altar! Uni-vos neste instante a mim,
mulheres, para celebrarmos juntas Ártemis,
a deusa vizinha de Cálcis, soberana
também de Áulis, onde ainda estão retidas
à minha espera numa enseada estreita
nossas naus belicosas com seus ocupantes!
Ah! Terra-mãe dos Pêlasgos[61], nossos avós!
Ah! Antiga Micenas! Ah! Terra natal!

CORO

Invocas a cidade de Perseu[62],
obra dos braços dos enormes Cíclopes?

IFIGÊNIA

Tu me nutriste para que eu viesse a ser
o astro lúcido de nossa liberdade!
Jamais recuarei da morte salvadora!

CORO

Jamais perecerá a tua glória!

IFIGÊNIA

Ah! Claridade deste dia derradeiro,
que fazes cintilar assim sobre nós todas
a luz de Zeus! Caminho para outra vida,
para outro destino! Salve, luz querida!

Sai IFIGÊNIA escoltada por um servidor de AGAMÊMNON. CLITEMNESTRA recolhe-se à tenda levando Orestes

CORO

Olhai a virgem que fará ruir
a insolente Ílion com seus frígios!

Ei-la avançando com uma coroa
em volta de sua cabeça altiva
purificada com água lustral!
Sim! Ela irá regar com o próprio sangue
o altar da augusta deusa rancorosa
depois de oferecer à espada fria
o imaculado colo gracioso!
Seu pai espera-a junto ao altar
com água para a purificação,
à frente de muitos soldados gregos
impacientes para navegar
de mar afora em direção a Ílion.
Devemos invocar a santa Ártemis,
nossa rainha, para que a sorte
sempre nos favoreça! Augusta deusa!
Acolhe favoravelmente agora
o sacrifício humano em tua honra!
Conduze o grande exército dos gregos
até a Frígia e às altas muralhas
de Tróia pérfida e proporciona
a Agamêmnon a graça maior
de conquistar o prêmio da vitória,
cobrindo-se de glória imperecível!

Entra o M*ENSAGEIRO*

MENSAGEIRO

Filha de Tíndaro, rainha Clitemnestra!
Sai dessa tenda para ouvir minha mensagem!

CLITEMNESTRA

Saindo da tenda

Ouvi a tua voz e saio logo, trêmula
e temerosa de que venhas transmitir-me
novas desgraças além da que já me esmaga.

MENSAGEIRO

Minha missão é, ao contrário, relatar
prodígios agradáveis sobre tua filha.

CLITEMNESTRA

Não tardes! Fala com a máxima presteza!

MENSAGEIRO

Saberás tudo exatamente e sem demora,
senhora minha; meu desejo é te contar
todos os fatos na seqüência em que ocorreram,
se não me emocionar demais a descrição.
Quando chegamos ao bosque sagrado de Ártemis,
filha de Zeus, e ao prado coberto de flores
onde se reuniu nosso ansioso exército
e conduzimos tua filha para lá,
os gregos a cercaram já impacientes.
Quando o rei Agamêmnon a viu avançando
no bosque consagrado para o sacrifício,
gemeu aflito enquanto voltava a cabeça,
cobrindo o rosto para disfarçar as lágrimas.
Mas a donzela, aproximando-se do pai,
falou as seguintes palavras: "Eis-me aqui,
meu pai; dou espontaneamente minha vida
por nossa pátria; conduze-me ao altar
de Ártemis para ser imolada lá,
pois o oráculo impõe o sacrifício.
Se depender de minha morte apenas, gregos,
sereis felizes e colhereis a vitória
e voltareis à pátria cobertos de glória.
Nenhum de vós poderá pôr as mãos em mim;
eu mesma apresentar-vos-ei meu alvo colo
silenciosamente e sem constrangimento,
obedecendo apenas à minha coragem!"
Assim falou a tua filha e todos nós,
ouvindo-a, enchemo-nos de admiração
diante de sua grandeza imensa de alma
e altivez; então Taltíbio, nosso arauto,
cumprindo prontamente as ordens recebidas,
impôs a todos o respeito e o silêncio.
O adivinho Calcas, sem perda de tempo,
depôs numa bacia de ouro reluzente
entre os grãos consagrados o afiado gládio
que retirara da respectiva bainha;

continuando, ele pôs a coroa sacra
sobre os cabelos bem tratados da donzela.
Então o filho de Peleu, pegando o cesto
e a jarra com água lustral, molhou o altar
e disse: "Ártemis, deusa filha de Zeus,
divina caçadora que rolas nas trevas
teu globo luminoso[63], aceita de bom grado
o sacrifício oferecido pelos gregos
e pelo comandante-em-chefe deste exército,
rei Agamêmnon! É o sangue generoso
e puro de uma bela virgem, de Ifigênia!
Concede à nossa frota uma feliz viagem
e às nossas armas a destruição de Tróia!"
Os dois Atridas e os soldados numerosos
baixaram a cabeça e todos dirigiram
os olhos para o chão. Depois o sacerdote
tirou o gládio da bacia feita de ouro,
pronunciando a invocação para escolher
o lugar onde iria desferir o golpe.
Meu coração se contraiu angustiado
e baixei a cabeça. Repentinamente
manifestou-se a todos nós, estupefatos,
um acontecimento sobrenatural,
sem dúvida um prodígio: todos ouvimos
distintamente o ruído de um golpe rápido
de gladio, mas a virgem desaparecera,
sugada pela terra, sem que se pudesse
ver ou conjecturar onde ocorrera o fato.
O sacerdote deu um grito e nosso exército,
uníssono, iniciou aclamações
diante daquele milagre, obra, sem dúvida,
de algum dos deuses, muito além da expectativa,
inexplicável mesmo para quem o viu.
De fato, jazia imóvel, recém-morta,
uma corça descomunal e muito bela,
cujo sangue inda fresco manchava o altar.
Naquele instante Calcas, com uma alegria
fácil de imaginar, gritou emocionado:
"Chefes do grande exército de toda a Grécia
aqui retido e todos os nossos guerreiros,
vedes esta corça montesa oferecida
como vítima eleita em seu sagrado altar?

Ártemis quis salvar a virgem, evitando
que seu puro sacrário fosse maculado
por sangue generoso. A deusa está feliz
e nos concederá uma boa viagem
para o ataque a Tróia. Sem maior demora
cada guerreiro deve encher-se de coragem,
indo embarcar em sua nau, pois hoje mesmo
vamos partir das águas profundas de Áulis
para afinal cruzar o longo mar Egeu."
Depois de a vítima ter sido consumida
pelas chamas de Hefesto[64], Calcas fez seus votos
pelo bom resultado desta expedição
e seu feliz retorno depois da vingança.
É esta a descrição do fato singular.
O rei mandou-me até aqui para fazê-la
e anunciar-te a graça sobrenatural
que os deuses concederam há poucos instantes
à tua filha, e também para dizer-te
que ela ganhou glória perene em toda a Grécia.
Eu, presente ao grande milagre, e testemunha
dos acontecimentos, posso confirmar:
sem qualquer dúvida tua filha voou
em direção aos deuses bem-aventurados!
Basta, portanto, de aflições. Fica tranqüila;
perdoa teu esposo; os desígnios divinos
são totalmente inacessíveis aos mortais;
quando já não nos resta a mínima esperança
os deuses manifestam-nos sua vontade
e salvam seus eleitos de maiores males.
Este dia viu tua filha morta e viva!

CORIFEU

Ouvi com alegria a boa informação,
rainha, porquanto a mensagem anuncia
que tua filha vive junto aos imortais.

CLITEMNESTRA

Ah! Minha filha! Que deus te roubou de mim?
Por que nome devo chamar-te? Penso até
que esta notícia é consolação quimérica

para me convencer da desnecessidade
do luto que devo observar por tua perda...

CORO

Está chegando o rei à nossa tenda.
Ele confirmará a descrição.

Entra AGAMÊMNON

AGAMÊMNON

Podemos ficar orgulhosos, Clitemnestra,
com o destino de nossa filha querida,
pois ela hoje goza com toda a certeza
da convivência com os deuses imortais.
Põe então em teus braços o pequeno Orestes
e leva-o contigo de regresso a Argos,
pois nossa frota apronta-se para a partida.
Adeus! Chegou a hora da separação
e só depois de minha volta lá de Tróia
teremos oportunidade de encontrar-nos.
Durante muito tempo não conversaremos;
queiram as divindades que quando eu voltar
seja mais agradável nossa convivência!

Sai AGAMÊMNON

CORO

Parte contente para a terra frígia,
filho de Atreu; retorna mais feliz,
trazendo belos despojos de guerra
ganhos no saque de Tróia vencida!

FIM

NOTAS À *IFIGÊNIA EM ÁULIS*

1. Êuripo: estreito que separa a ilha de Eubéia da Beócia. Áulis era um porto situado nesta última região.

1a.Plaquetas: *dêltoi* (os nomes gregos são transliterados em caracteres latinos) eram lâminas de madeira (em geral de pinho), usadas na época heróica para receber a escrita.

2. Afrodite: a deusa do amor na mitologia grega (a Vênus latina), também chamada Cípris. Para as numerosas alusões mitológicas, veja-se o *Dicionário de Mitologia Grega e Latina* publicado por Jorge Zahar Editor.

2a. Páris: um bárbaro (os gregos chamavam de bárbaros todos os estrangeiros de terras distantes), escolhido para apontar entre as deusas Afrodite, Hera e Atena a mais bela.

3. O Ida é uma montanha situada nas proximidades de Tróia.

4. Taltíbio, o arauto oficial da expedição grega.

5. Aquiles: o herói maior dos gregos na guerra de Tróia, originário do reino da Ftia e herdeiro do trono do mesmo. Ele era filho de Tétis e de Peleu.

6. Calcas era o adivinho oficial da expedição grega; Odisseu era rei de Ítaca e chefiava os soldados provenientes dessa ilha grega.

7. De acordo com a lenda, as muralhas de Micenas, cidade onde reinava Agamêmnon, teriam sido construídas pelos monstruosos Cíclopes, gigantes de um olho só no meio da testa.

8. Cálcis era a principal cidade da Eubéia, onde se localizava a fonte chamada Aretusa. Veja-se também a nota 1.

9. Os gregos eram também chamados de aqueus na época da guerra de Tróia.

10. O Eurotas é um rio que atravessa Esparta, na Lacônia.

11. Veja-se a nota 2; Hera e Palas eram respectivamente a mulher de Zeus e um dos nomes de Atena, filha do mesmo Zeus. Cípris era um dos nomes de Afrodite, significando "originária da ilha de Chipre".

12. Os dois Ájaxes foram heróis destacados entre os guerreiros na expedição a Tróia; Salamina é uma ilha próxima a Atenas. Segue-se uma longa enumeração de heróis gregos participantes da guerra, todos mencionados por Homero na *Ilíada*.

13. Poseidon era o deus das águas em geral e principalmente do mar, e o "filho de Poseidon" era Náuplio.

14. Ares era deus e símbolo da guerra na mitologia grega.

15. O "filho de Laertes" era Odisseu; a "ilha montanhosa" é Ítaca; Nireu era filho de Cáropo e da ninfa Aglaia.

15a. Veja-se a nota 5. A enumeração das naus a partir do verso 260 é uma imitação de Homero no livro II da *Ilíada*.

16. Divindades marinhas, filhas de Nereu e de Dóris e netas do Oceano.

16a. Atena: deusa da sabedoria, padroeira da cidade de Atenas; mais abaixo, Cadmo foi o fundador de Tebas.

17. O Alfeu é um rio da Arcádia e da Élida.

18. Ílion era outra denominação de Tróia. Os detalhes dos versos 406 e seguintes mostram que os pretendentes ao poder não mudaram muito nestes quase 2.500 anos...

19. Príamo: rei de Tróia na época da expedição dos gregos.

20. Ártemis era a deusa da caça e da vida silvestre.

21. Antes dos sacrifícios gratulatórios enchiam-se cestos com grãos de cevada para serem queimados sobre o altar.

21a. Este solilóquio de Agamêmnon é um dos mais comoventes do teatro grego.

22. "Nos braços da Morte": literalmente, "nos braços de Hades". Hades é o deus dos mortos e também significa a morada dos mortos, ou simplesmente a Morte. As palavras de Ifigênia nos versos 625 e seguintes são uma profecia sobre o assassinato de Agamêmnon por Clitemnestra (veja-se o *Agamêmnon* de Ésquilo).

23. Páris e Príamo: vejam-se as notas 2 e 19.

23a. Tântalo era um antepassado de Agamêmnon e de Menelau, chamados também de Tantálidas.

24. Sísifo, considerado o herói mais astucioso da mitologia grega, teria abusado da confiança de Laertes, marido de Antícleia, a mãe de Odisseu; desse adultério teria nascido o também astucioso Odisseu. Veja-se a nota 15.

25. Veja-se a nota 7.

26. Literalmente: "a Hades"; veja-se a nota 22.

27. Eros: o deus do amor na mitologia grega (o Cupido dos latinos).

28. Ida era a montanha que dominava a cidade de Tróia. Olimpo, mais adiante, era um flautista lendário anterior à guerra de Tróia.

28a. A "querela divina": veja-se a nota 2a.

29. A Nereide aqui é Tétis, mãe de Aquiles. Veja-se a nota 16.

29a. Ásopo era o deus do rio homônimo. O diálogo entre Clitemnestra e Agamêmnon mostra a curiosidade de todas as mães pelos noivos de suas filhas e pelas festas do casamento.

30. Zeus era o deus maior da mitologia grega (o Júpiter dos latinos). Egina foi uma das numerosas mulheres de Zeus.

31. Enone (*Oinone*) era o nome mais antigo da ilha de Egina. Éaco era considerado o mais piedoso dos mortais, e depois de morto foi ser um dos juízes das almas dos mortos no Hades.

32. A "filha de Nereu" era Tétis; Nereu era uma divindade marinha e pai das Nereides.

33. Quíron era um centauro dotado de saber extraordinário. O Pélion era uma montanha.

34. A "deusa de Argos" é Hera, mulher de Zeus e padroeira da cidade.

35. Simóis: rio nas proximidades de Tróia.

36. Ílion: veja-se a nota 18.

37. Febo: um dos epítetos de Apolo, significando "luminoso".

38. Ares: veja-se a nota 14.

39. Os Diôscuros eram Cástor e Polideuces (o Pólux dos latinos).

40. Aqueus: veja-se a nota 9.

41. Veja-se a nota 1a.

42. Os mirmidões eram os comandados de Aquiles na guerra de Tróia.

43. Atridas (filhos de Atreu): Agamêmnon e Menelau.

44. A "cidade de Dárdano" é Tróia, fundada por ele.

45. Sípilos: localidade da Lídia (Ásia Menor), onde morava Tântalo, antepassado de Agamêmnon. Veja-se a nota 23a.

46. A repetição "piedade ... piedade" está no original (a exemplo de outras reproduzidas na tradução).

47. Líbia era a denominação genérica do norte da África na Antiguidade, quando as flautas feitas lá eram famosas.

48. Síringe (*syrigx*) era uma espécie de flauta rústica usada pelos camponeses.

49. Ganimedes: o belo filho de Tros, herói epônimo de Tróia, que Zeus raptou e levou para o Olimpo, onde era seu copeiro.

49a. Baco era um dos muitos nomes de Diôniso, o deus do vinho e dos delírios orgiásticos.

50. Veja-se a nota 42.

51. Hefesto era o deus do fogo e o patrono dos ferreiros.

52. Ínaco: rei lendário de Argos, onde veio a reinar mais tarde Agamêmnon.

53. "Ambos filhos de Zeus": Cástor e Polideuces, os Diôscuros.

53a. Alusão irônica ao assassínio de Agamêmnon por Clitemnestra no dia de seu retorno de Tróia, assunto do *Agamêmnon* de Ésquilo (a primeira peça da trilogia chamada de *Oréstia*).

53b. Ifigênia era a filha mais velha de Agamêmnon e de Clitemnestra.

54. Pêlops era pai de Atreu e avô de Agamêmnon.

55. Hades: veja-se a nota 22.

56. A "filha de Tíndaro" aqui é Helena, a causadora da guerra de Tróia.

57. Sísifo: veja-se a nota 24.

58. Tiradas como esta devem ter contribuído para criar contra Eurípides a animosidade das mulheres de Atenas, refletida nas *Tesmoforiazusas* de Aristófanes.

59. As mulheres costumavam cortar os cabelos rentes e usar roupas negras como sinal de luto.

60. Ifigênia pressente a sua substituição por uma corça na hora do sacrifício e sua salvação por Ártemis.

60a. Ou seja, o lado direito.

61. Pêlasgos: os habitantes mais antigos da Grécia.

62. Cidade de Perseu: Perseu era um herói ao qual se atribuía a fundação de Micenas e ancestre dos argivos. As muralhas de Micenas teriam sido construídas pelos Cíclopes.

63. "Globo luminoso": a lua. Ártemis era a luz divinizada.

64. Hefesto: veja-se a nota 51.

As Fenícias

Época da ação: idade heróica da Grécia.
Local: Tebas.
Primeira representação: provavelmente em 406 a.C. (ano da morte de Eurípides), em Atenas.

PERSONAGENS

JOCASTA, mulher e mãe de Édipo, irmã de Creonte e mãe de ANTÍGONA, de POLINICES e de ETÉOCLES.
PRECEPTOR
ANTÍGONA, POLINICES, ETÉOCLES — filhos de ÉDIPO e JOCASTA.
CORO, composto de mulheres fenícias.
CREONTE, irmão de JOCASTA e no final da peça rei de Tebas.
TIRÉSIAS, adivinho.
MENECEU, filho de CREONTE.
PRIMEIRO MENSAGEIRO.
SEGUNDO MENSAGEIRO.
ÉDIPO.

Cenário

Ao fundo vê-se o palácio real. Na frente, um altar de Apolo. JOCASTA, já velha e com roupas negras, sai do palácio.

JOCASTA

Tu, que entre todas as estrelas cintilantes
marcas tua rota no céu, e acomodado
num carro de ouro, Sol, obrigas, incansável,
teus rápidos corcéis a conduzirem sempre
teu fogo em volta ao mundo, que luz desastrosa
lançaste um dia sobre Tebas muito antiga
quando o fenício Cadmo entrou neste país
depois de haver abandonado o território
de sua pátria banhada pelo mar?
Há muito tempo sua mulher — Harmonia —,
filha de Cípris[1], deu-lhe o filho desejado
— sim, Polidoro! —, do qual dizem que é filho
o velho Lábdaco, pai de Laio infeliz.
Chamam-me todas de filha de Meneceu,
e tenho um irmão de pai e mãe — Creonte —;
deu-me o meu próprio pai o nome de Jocasta.
Laio escolheu-me para ser sua mulher,
mas como, embora desejasse ardentemente,
não conseguia dar-me o esperado filho
nas muitas vezes em que subiu a meu leito
em seu palácio, foi a Delfos consultar
o oráculo de Febo[2]; lá pediu ao deus
para ter filhos homens em seu casamento.
Disse-lhe Febo: "Rei de Tebas renomada
por seus belos corcéis! Não deves insistir
em pôr tua semente na fonte da vida

contra a vontade unânime das divindades!
Se procriares algum filho, tal criança
te matará um dia e todo o teu palácio
se cobrirá de sangue." Mas não resistindo
à força do desejo, durante uma noite
ele me engravidou e me fez mãe de um filho.
Quando este veio ao mundo ele rememorou
as palavras de Apolo e seu próprio pecado
e sem perda de tempo mandou uns pastores
exporem o recém-nascido numa encosta
do cume do Citéron[3], dedicada a Hera[4],
com os delicados tornozelos transpassados
por ferros aguçados (esta é a origem
do nome de Édipo, inventado pelos gregos[5]).
Mas os pastores incumbidos de cuidar
dos rápidos corcéis do soberano Pôlibo[5a]
acharam-no e levaram-no à casa do rei,
deixando-o aos cuidados de sua senhora.
Foi a própria rainha quem amamentou
o fruto doloroso de minhas entranhas,
dizendo a seu esposo que ela o dera à luz.
Já se podiam ver no rosto do mocinho
os dourados sinais da adolescência próxima
quando meu filho, seja por ter descoberto
a verdade terrível, seja por ouvi-la
de alguém, quis descobrir a sua identidade;
ele se dirigiu à morada de Febo[6],
na mesma época em que Laio, meu marido,
em sua ânsia constante de saber
se a criancinha abandonada inda vivia,
também foi consultar o oráculo do deus.
O pai e o filho se encontraram lá na Fócida[7],
na região onde uma estrada se bifurca.
O condutor da carruagem do rei Laio
gritou a Édipo: "Afasta-te, rapaz!
Abre caminho a nosso rei!" Sem responder
ele seguiu o seu caminho altivamente
mas os cavalos fustigados lhe feriram
os calcanhares com seus cascos. Indignado
— por que mencionarei detalhes do infortúnio? —,
o filho assassinou o pai e, apoderando-se
do carro, decidiu levá-lo até Corinto

com o propósito de oferecê-lo a Pôlibo,
seu pai de criação, como um presente régio.
Naquela época a Esfinge castigava[7a]
com sua crueldade a cidade de Tebas
e Laio, meu marido, já não existia;
Creonte, meu irmão, em nome da cidade
ofereceu-me num decreto irrevogável
a quem pudesse decifrar corretamente
o enigma da virgem sutil, comprometendo-se
a dar-me como esposa a nosso salvador.
Por um simples acaso foi meu filho Édipo
que interpretou o canto da feroz Esfinge;
assim ele passou a ser o soberano
desta cidade, e como prêmio por seu feito
deu-lhe Creonte o cetro de Tebas antiga.
Ele casou-se com a sua própria mãe
— ah, infeliz! — sem que ela nunca imaginasse
que se deitava com seu filho. Dessas núpcias
tive dois filhos gloriosamente fortes
— Etéocles e Polinices — e em seguida
duas meninas, uma das quais recebeu
de Édipo o nome de Ismene; a outra filha,
eu mesmo resolvi que se chamasse Antígona.
Mas, descobrindo finalmente que meu leito
era o de sua mãe transformada em esposa,
Édipo, enlouquecido pela enormidade
de sua desventura, perfurou os olhos
de maneira espantosa: segurando o pino
de um broche feito de ouro, ele inundou de sangue
suas pupilas! Decorridos muitos anos,
quando no rosto de meus filhos já se viam
nitidamente os primeiros sinais de barba,
os dois enclausuraram o pai infeliz
tentando assim tirar da mente agoniada
tão grandes provações — seria muito sábio
quem conseguisse consumar esse prodígio!
Ainda vive no palácio o triste Édipo.
Embora deva a seu destino o infortúnio,
ele amaldiçoou impiamente os filhos,
fazendo votos para que ambos disputassem
este palácio num duelo com espadas.
Os dois irmãos, temendo que os deuses cumprissem

a maldição paterna se vivessem juntos,
convencionaram que o mais novo — Polinices —
deixasse voluntariamente a sua pátria
durante um ano, como se fosse exilado,
enquanto Etéocles empunharia o cetro
nesse mesmo período, comprometendo-se
a entregá-lo a seu irmão, passado o ano,
nesse revezamento com iguais direitos.
Mas depois de sentar-se à frente do timão
da realeza, Etéocles se recusou
a no devido tempo devolver o trono
a seu irmão, como ambos tinham pactuado,
e o expulsou da pátria de volta ao exílio.
Desarvorado, Polinices viajou
em direção a Argos, onde se casou
com a filha de Ádrasto, rei do país.
Lá ele reuniu soldados numerosos,
todos obedientes à sua vontade.
Há pouco tempo ele chegou com seus argivos
diante das muralhas de nossa cidade
— Tebas de sete portas —, para reclamar
de Etéocles o cetro de Édipo, seu pai,
e a parte dele no solo de sua pátria.
Em meu empenho de encontrar a solução
para a querela, pude convencer meus filhos
a terem numa trégua um encontro aqui
antes de seu confronto com lanças nas mãos.
Ambos já confirmaram a reunião,
de acordo com um mensageiro que mandei.
Tu, Zeus, que moras no brilhante firmamento,
salva-nos reconciliando meus dois filhos!
Se és um deus dotado de sabedoria
não deves permitir com tua onipotência
que apenas um mortal seja sempre infeliz!

A cena transfere-se para o terraço do palácio. Vê-se nele o PRECEPTOR *dirigindo-se a* ANTÍGONA, *que subia a escada a caminho do terraço*

PRECEPTOR

Já tens a permissão de tua mãe, Antígona,

glória do lar paterno, para abandonar,
a teu pedido, os aposentos das donzelas
a fim de ver o exército recém-chegado
de Argos; deixa que eu observe antes de ti
os possíveis caminhos. Meu desejo é ver
se algum dos cidadãos aparece na estrada,
pois tenho medo de incorrermos sem querer
em censura humilhante, eu como escravo e tu
como princesa. Agora devo relatar-te
tudo que vi e ouvi dos soldados argivos
quando levei a teu irmão, fora das portas,
a proposta de trégua, indo das muralhas
até o acampamento e voltando de lá.

O PRECEPTOR *observa durante alguns instantes*

Nenhum dos habitantes vem para o palácio;
podes subir pela antiga escada de cedro.

ANTÍGONA *aparece nos últimos degraus da escada que leva ao terraço do palácio*

Observa atentamente, Antígona, a planície;
ao longo das margens do Ismeno[8] e mais além,
e nas proximidades da fonte de Dirce[9],
verás o imenso exército que nos enfrenta.

ANTÍGONA

Estende, amigo, estende tua velha mão
à donzela que sou e ajuda-me a subir.

PRECEPTOR

Ei-la! Segura-a. Vieste em boa hora.
Os soldados argivos já iniciaram[10]
seus movimentos e todos os batalhões
já se organizam em pelotões separados.

ANTÍGONA

Observando

Hecate, filha augusta da divina Leto[11]!
Toda a planície brilha, coberta de bronze!

PRECEPTOR

Não houve a mínima humildade na conduta
de Polinices; ele está chegando a Tebas
com o estrépito de uma cavalaria
incalculável e de infantes incontáveis.

ANTÍGONA

As portas da cidade estão aferrolhadas
e as trancas de pesado bronze atravessadas
nas muralhas de pedra feitas por Anfíon[12]?

PRECEPTOR

Nada receies; Tebas está bem segura.
Se te interessa algum dos muitos combatentes,
pergunta-me que te direi quem ele é.

ANTÍGONA[12a]

Aquele de penacho branco, destacando-se
à frente dos demais guerreiros e portando
seu escudo de grosso bronze, quem é ele?

PRECEPTOR

É um dos comandantes desta expedição.

ANTÍGONA

De que origem? Sabes como ele se chama?

PRECEPTOR

Dizem que é um micênio mas mora nos pântanos
de Lerna; trata-se do rei Hipomedon.

ANTÍGONA

Quanta imponência a dele! Como seu aspecto
assusta! Parecendo um astro cintilante,
eles nos faz pensar num dos filhos da Terra,
esses gigantes que aparecem nas pinturas;
é diferente de qualquer mortal efêmero.

PRECEPTOR

Vês um guerreiro cruzando a fonte de Dirce?

ANTÍGONA

Sim, ostentando armas estranhas; quem é ele?

PRECEPTOR

Tideu, filho de Eneu; traz em seu coração
o furor marcial de todos os etólios.

ANTÍGONA

Foi este, velho, que se uniu à irmã gêmea
da esposa argiva de meu irmão Polinices?
São muito estranhas suas armas, meio bárbaras.

PRECEPTOR

É sempre longo o escudo dos bravos etólios;
ninguém lança melhor que eles dardos curtos.

ANTÍGONA

Mas, como sabes, ancião, tantos detalhes?

PRECEPTOR

Quando fui incumbido há pouco de levar
as condições da trégua a teu querido irmão,
pude ver os emblemas dos escudos deles.

ANTÍGONA

Quem é aquele que está perto do sepulcro
de Zeto, com seus cabelos cheios de cachos,
ainda jovem mas de olhar muito feroz
— um comandante, se prestarmos atenção
aos homens que seguem seus passos e o escoltam?

PRECEPTOR

Ele é Partenopeu, o filho de Atalante.

ANTÍGONA

Ah! Possa Ártemis[13] que percorre as montanhas
perto de Leto eliminá-lo com os dardos
lançados a longa distância por seu arco,
pois ele veio destruir minha cidade!

PRECEPTOR

Ouçam-te os deuses, minha filha, mas de fato
a boa causa o acompanha; meu receio
é que no céu não mais se cuide da justiça.

ANTÍGONA

E aquele que também nasceu de minha mãe
para um destino doloroso, posso vê-lo?
Dize-me onde está Polinices, ancião!

PRECEPTOR

Mais longe, ao lado da tumba dos sete filhos
de Níobe, seguindo passo a passo Ádrasto[14].
Já podes vê-lo em meio a tanta gente junta?

ANTÍGONA

Inda não pude distingui-lo claramente,
mas já percebo uma figura — sim, um busto! —
que faz lembrar a dele! Ah! Se me fosse dado

cortar os ares, como as nuvens mais velozes
levadas pelo vento, até meu caro irmão,
triste exilado, e afinal lançar meus braços
em volta de seu corpo imensamente amado!
Que garbo o seu na bela armadura dourada!
Ele irradia luz como se fosse o sol!

PRECEPTOR

Graças à trégua, dentro de pouco tempo
ele estará aqui para tua alegria.

ANTÍGONA

Quem é aquele que se pode ver ali,
de pé em seu carro de guerra e agitando
as rédeas de dois belos cavalos brancos?

PRECEPTOR

Vês com certeza o adivinho Anfiarau;
com ele estão as vítimas dos sacrifícios,
cujo sangue abundante a terra beberá.

ANTÍGONA

Filha de Leto, com teu cinto reluzente,
Selene[15], luminoso disco de ouro puro!
Com que nobreza e calma ele aguilhoa sempre,
em movimentos alternados, seus corcéis
enquanto guia o carro para onde quer!
Onde está Capaneu, o herói que esbraveja
de maneira insolente contra nós e Tebas?

PRECEPTOR

Logo em seguida; ele planeja a escalada
das torres, medindo as muralhas de alto a baixo.

ANTÍGONA

Ah! Nêmesis[16], trovão de Zeus com seus estrondos

repercutindo nos abismos insondáveis,
e tu, chama devoradora dos relâmpagos,
que silencias a jactância dos soberbos!
Vejo afinal aquele que, com sua lança,
pretende oferecer como simples escravos
todos os habitantes de nossa cidade
à antiqüíssima Micenas e a Lerna,
onde o tridente de Poseidon divino[17]
tirou do solo seco as águas de Amimone[18]!
Ele se vangloria de poder impor-lhes
os grilhões da mais humilhante servidão!
Ah! Não permitas que jamais, em tempo algum,
Ártemis soberana, filha de Zeus máximo,
deusa de cabelos dourados e brilhantes,
eu tenha de experimentar a servidão!

PRECEPTOR

Desce para teus aposentos virginais
no palácio real, minha pobre criança,
pois já satisfizeste o teu desejo intenso
de ver o que é possível distinguir daqui.
Em face dessa agitação sempre crescente
que já se alastra por toda a nossa cidade,
estão marchando para o palácio real
mulheres incontáveis; elas consideram
perfeitamente natural fazer censuras
a todas as pessoas de seu próprio sexo;
valendo-se de um pretexto qualquer, Antígona,
para conversas cheias de maledicência,
elas falam demais e distorcem os fatos.
O supremo prazer de todas as mulheres
é não dizer qualquer palavra de elogio
quando começam a falar umas das outras[19].

A cena volta a ser a frente do palácio real. Entra o CORO, *composto de mulheres fenícias*

CORO

Como primícias oferecidas
ao deus oracular — sim, a Loxias! —[20]

partimos através das ondas tírias[21],
deixando a ilha antiga dos fenícios,
para servir a Febo na morada
onde ele se instalou entre as encostas
sempre cheias de neve do Parnasso[22].
Singrando o mar Iônio chegamos,
levadas pelos remos, aos confins
dos mares que rodeiam a Sicília
na cavalgada do sopro de Zéfiro[23],
que fazia subir até o céu
o seu murmúrio sempre encantador.
Selecionadas entre nossas virgens
como o mais belo presente a Loxias,
viemos para a terra dos cadmeus[24],
para a cidade onde reinava Laio,
pois os seus habitantes são parentes
dos filhos muito ilustres de Agenor[25].
Iguais às oferendas feitas de ouro,
seremos dedicadas a Apolo;
as águas sempre puras da Castália[26]
esperam-nos, pois nelas banharemos
a serviço do deus a opulência
de nossa cabeleira virginal.
Penhascos do Parnasso, cujos cumes
parecem gêmeos e resplandecem
luzentes como o fogo, nas alturas
onde Diôniso vai celebrar[27]
suas orgias báquicas, e vinhas
de cujos bagos sai todos os dias
o suco inspirador, e antro divino
do célebre dragão[28], mirante ótimo
freqüentado somente pelos deuses,
e monte sacro coberto de neve!
Sede benignos para que possamos
durante nossas rondas em louvor
dos imortais, formar sem medo ou sustos
os coros em honra de nosso deus
perto do templo — umbigo deste mundo[29] —
onde se adora Apolo, quando vamos
além das águas límpidas de Dirce!
Chegou à frente dos muros de Tebas
o impetuoso Ares[30]! Já o vimos

prestes a atear as suas chamas,
ameaçando-a sem piedade
de incendiá-la e de exterminá-la
— livrem-nos desses males os bons deuses!
Aflige-nos o risco dos amigos;
a terra dos fenícios participa
da sorte reservada às sete torres.
Ai! Ai de nós! O mesmo sangue une
os filhos da infortunada Io[31],
antepassada de cornos bovinos,
e sentimos também seus sofrimentos.
Em volta da cidade há uma nuvem
de escudos fulgurantes, um presságio
de muito sangue derramado em luta
prestes a começar ao sinal dado
por Ares, que traz aos filhos de Édipo
a maldição funesta das Erínias[32].
Argos, cidade dos antigos Pêlasgos[32a]!
Temos receios de tua bravura
e do decreto dos augustos deuses!
Não é à revelia da justiça
que um filho entra nesta luta apenas
por sua herança, recorrendo às armas!

Entra Polinices, *empunhando a espada e olhando para todos os lados*

POLINICES

As trancas fortes de uma das portas de Tebas
abriram-se para acolher-me e assim cheguei
até o interior das antigas muralhas.
Tenho receios de que meus opositores,
colhendo-me dessa maneira em suas malhas,
me ataquem até me verem banhado em sangue.
Assim, cumpre-me olhar para todos os lados,
tanto à direita como à esquerda, pois suspeito
de uma emboscada, mas a minha mão que empunha
a espada aguda me devolve a confiança.

Sobressaltando-se repentinamente

Quem se aproxima? Terei medo de ruídos?
Tudo parece assustador a qualquer homem
que tenta em chão hostil um golpe audacioso.
Confio em minha mãe — nada mais natural —,
porém pouco tempo depois já desconfio,
pois ela convenceu-me a vir até aqui
para tentarmos pelo menos uma trégua.
Mas posso ver ali um sinal favorável;
eleva-se bem perto a lareira no altar
e nota-se que a casa não está deserta.
Pondo na sombra da bainha a minha espada
perguntarei agora a estas criaturas
que mulheres são elas, paradas assim
diante do palácio.

Dirigindo-se às mulheres do Coro

Dizei-me, estrangeiras:
de que país distante chegastes aqui
e por que estais em frente a um palácio grego?

Corifeu

Criou-nos a Fenícia, nossa antiga pátria,
e os filhos de Agenor mandaram-nos de lá
como oferenda a Febo, em comemoração
de seus triunfos. O nobre filho de Édipo
ia mandar-nos ao santuário do deus,
quando os argivos chegaram para atacar
esta cidade. E tu, por tua vez, responde-me:
quem és para chegar até o interior
das muralhas tebanas e das sete portas?

Polinices

Meu pai se chama Édipo, filho de Laio;
minha mãe é Jocasta; o nome do pai dela
é Meneceu; todos me chamam Polinices.

As mulheres do Coro *prosternam-se diante de* Polinices

CORIFEU

Descendente dos filhos de Agenor, meus reis
que nos mandaram da Fenícia para cá!
Ajoelhamo-nos, senhor, à tua frente,
obedecendo às tradições de nossa pátria.
Voltas enfim à terra de teus ancestrais!
Ah! Rainha querida! Vem, retorna já
à frente do palácio! Abre as portas largas!
Ouves-me, mãe que o deste à luz? Ainda esperas
para sair de casa e abraçar teu filho?

JOCASTA sai do palácio

JOCASTA

Ouvindo tua voz aguda de fenícia,
mulher, meus pés muito cansados aceleram
seus passos trêmulos! Ah! Meu querido filho!
Enfim, após inúmeros e lentos dias,
tenho a ventura de rever-te! Aperta agora
em teus possantes braços tua triste mãe,
encosta em minha face já envelhecida
a tua face e deixa afinal caírem
sobre meus ombros teus cabelos cacheados
para envolverem meu pescoço! Ah! Filho meu
de volta a duras penas, quando eu já não tinha
a mínima esperança de rever-te aqui
nos braços maternais! Como, de que maneira,
com minhas mãos e palavras precipitadas,
multiplicando meus passos titubeantes
em todos os sentidos, poderei mostrar
toda a ternura de uma afetuosa mãe,
depois de estar privada deste doce enlevo
durante tanto tempo? Ah! Filho querido!
Deixaste um vácuo na casa de teus pais
quando foste ultrajantemente expulso dela
rumo ao exílio por teu próprio irmão Etéocles,
para tristeza de todos os teus amigos,
para desgraça da cidade onde nasceste!
Por isso, filho, cortei meus cabelos brancos
como oferenda deplorável a meu luto!

Deixei de usar os antigos vestidos brancos;
em seu lugar vês os tristes andrajos negros
cobrindo meu corpo cansado. O velho cego[33],
agora confinado onde antes era rei,
quando soube que os dois irmãos se desuniram
isolou-se em seu quarto e permanece lá
desfeito em lágrimas; ele tentou lançar-se
sobre uma espada, pois deseja exterminar-se
com suas próprias mãos, ou em seu desespero
quer enforcar-se nas altas traves do teto,
inconsolável por ter amaldiçoado
seus filhos separados; em meio a queixumes
intermináveis Édipo vive nas trevas.
A teu respeito, filho, dizem e repetem
que os laços matrimoniais te concederam
as muitas alegrias da paternidade
em um lar estrangeiro, e que estás engajado
em alianças com alguns reis de outras terras.
São um golpe terrível para tua mãe
e para teus antepassados essas bodas
contraídas por ti longe de nossa pátria.
Não acendi a tua tocha nupcial
como as mães venturosas costumam fazer,
e o rio Ismeno[34] tampouco se associou
a teu enlace oferecendo suas águas
para o mergulho que antecede o casamento;
pela cidade nenhum hino acompanhou
a rota percorrida pela esposa jovem.
Maldito seja o causador de tantos males,
quer eles venham de uma guerra, ou da discórdia,
ou de teu pai, ou de uma punição divina,
ou do gênio maligno da casa de Édipo,
já que estes infortúnios caem sobre mim!

CORIFEU

O doloroso parto cria sempre laços[34a]
estranhamente fortes para nós, mulheres;
o amor intenso aos filhos é regra geral
em toda a sofredora espécie feminina.

POLINICES

Ah! Mãe! Tive razão e ao mesmo tempo errei
vindo agora ao encontro de meus inimigos.
Amar a pátria, todavia, é uma das leis
impostas pela natureza e sempre válidas;
quem tenta desacreditar esta verdade
está fazendo um mero jogo de palavras
e tem o pensamento sempre posto nela.
Cheguei aqui muito inquieto, pois temia
uma emboscada contra minha vida, armada
por meu irmão; era tão grande o meu receio
que atravessei toda a cidade sem parar,
empunhando uma arma e olhando inquieto
para todos os lados. Minha proteção
é exclusivamente a trégua pactuada,
e sob a proteção apenas de palavras
ousei transpor nossas muralhas antiqüíssimas.
Vim caminhando sem poder conter o pranto,
ao ver depois de transcorrido tanto tempo
o palácio real e os templos veneráveis
de nossos deuses e o ginásio onde outrora
me exercitei, e as águas da fonte Dircéia.
Escorraçaram-me impiedosamente
desses lugares para ir viver sozinho
numa cidade onde ninguém me conhecia,
com os olhos sempre cheios de incessantes lágrimas.
Mas nova dor se junta agora à dor antiga
quando vejo teus cabelos cortados rentes[34b]
e tuas roupas negras. Quanta desventura!
Ah! Como sofro por teus males! É terrível
a dissensão entre parentes, minha mãe!
E meu idoso pai, que faz neste palácio
envolto em trevas? E minhas duas irmãs?
Não há dúvida alguma de que as infelizes
gemem e choram por causa de meu exílio.

JOCASTA

Um deus[34c] está querendo aniquilar agora
impiedosamente a raça do rei Édipo.
A divindade começou sua vingança

quando pari contrariando seus desígnios,
e prosseguiu com o matrimônio fatal
de teu progenitor e com teu nascimento.
Mas, por que falo assim? Nós, que somos mortais,
devemos acatar as decisões divinas.
Tenho receios de rasgar teu coração
fazendo-te perguntas sobre minhas dúvidas,
mas este é meu desejo irreprimível, filho.

POLINICES

Pergunta sem nada omitir, querida mãe,
pois teus desejos para mim são agradáveis.

JOCASTA

Quero saber antes de tudo: é grande mal
estar distante do sagrado solo pátrio?

POLINICES

É o maior de todos, sem comparação;
não há palavras capazes de o definirem.

JOCASTA

Que mal é esse? É tão penoso assim o exílio?

POLINICES

Ele é de todas as desgraças a pior,
pois tira-nos a liberdade de falar.

JOCASTA

Ver-nos privados de dizer o que pensamos
é não ter liberdade, é condição de escravo.

POLINICES

Os servos sofrem com a presunção dos donos.

JOCASTA

Outro tormento é ter de ser irracional
e ouvir em toda parte irracionalidades.

POLINICES

Quem quer levar vantagem nessa condição
deve mostrar-se humilde, embora a duras penas.

JOCASTA

Dizem que a esperança nutre os exilados.

POLINICES

Mas ela é muito lenta apesar de sorrir-nos.

JOCASTA

O tempo mostra que toda esperança é vã.

POLINICES

Mas seu encanto suaviza o infortúnio.

JOCASTA

Como vivias antes de teu casamento?

POLINICES

Num dia eu tinha pão, no outro ele faltava.

JOCASTA

Não te ajudavam os amigos de teu pai?

POLINICES

Devemos fazer tudo para ser felizes,
pois nos dias difíceis não temos amigos.

JOCASTA

Teu nascimento não te dava privilégios?

POLINICES

A indigência só nos traz desilusões.
Minha nobreza não me alimentava, mãe.

JOCASTA

Somente agora posso perceber que a pátria
é o dom mais precioso para nós, mortais.

POLINICES

Não imaginas quanto ela é valiosa!...

JOCASTA

Como chegaste a Argos e com que desígnios?

POLINICES

Ignoro; o deus levou-me para o meu destino.

JOCASTA

O deus, sem dúvida, sabe o que está fazendo.
Mas, dize-me: como escolheste a tua esposa?

POLINICES

Ádrasto recebeu o oráculo de Apolo.

JOCASTA

Que oráculo? Não posso imaginar qual foi.

POLINICES

Os dois genros de Ádrasto deviam ser
um javali e um leão segundo o deus.

JOCASTA

Mas que tinhas a ver com feras, filho meu?

POLINICES

Anoitecia e eu chegava finalmente
às portas do palácio onde reinava Ádrasto.

JOCASTA

Como exilado, errante, em busca de um abrigo?

POLINICES

Foi isso. Então apareceu outro exilado.

JOCASTA

Quem era ele? Certamente outro infeliz.

POLINICES

Tideu, filho de Eneu, como fiquei sabendo.

JOCASTA

Por que vos comparou a feras o rei Ádrasto?

POLINICES

Porque ele nos viu em luta ferocíssima
por um abrigo onde pudéssemos ficar.

JOCASTA

O filho de Talau[35] compreendeu o oráculo?

POLINICES

Sim, e nos deu aos dois as suas duas filhas.

JOCASTA

E és feliz ou infeliz no casamento?

POLINICES

Não tenho até agora razões para queixas.

JOCASTA

Como convenceste um exército a seguir-te?

POLINICES

Ádrasto, o rei, havia feito o juramento,
a mim e a Tideu (pois este é meu cunhado),
de nos levar um dia de regresso à pátria
de cada um de nós, a começar por mim.
Em grande número os micênios[36] e os argivos
prontificaram-se a seguir-me nesse intento
imensamente doloroso para mim
— entrar em guerra contra Tebas, minha terra.
Mas chamo os deuses para minhas testemunhas:
foi contra meu desejo e por vontade deles
que recorri às armas para combater
contra tantos amigos e compatriotas.
Mas inda podes evitar, querida mãe,
os males horrorosos que nos ameaçam;
restaura a amizade antiga entre parentes,
põe fim às nossas provações presentes — minhas
e tuas e de todos os concidadãos.
A desavença começou há muito tempo,
mas tenho de dizer que para nós, os homens,
as posses sempre foram o maior dos bens
e o que entre nós, simples mortais, dá mais poder.
É só por elas que hoje trago até aqui
tantos soldados empunhando suas armas.
Até os nobres nada valem se são pobres.

Entra ETÉOCLES

CORIFEU

Já estou vendo Etéocles chegar aqui;
por certo vem para a reconciliação.
É teu dever, Jocasta, como mãe de ambos,
dirigir a teus filhos nestas circunstâncias
palavras destinadas a pacificá-los.

ETÉOCLES

Eis-me aqui, mãe; vim atendendo a teu pedido.
De que se trata? Alguém deve falar primeiro.
Eu estava ocupado com o alinhamento
de nossos batalhões em dupla formação;
interrompi minha tarefa para ouvir
tua proposta de reconciliação
que, sob a imunidade de uma curta trégua,
te leva a receber este homem aqui dentro
de nossas muralhas seguras, protegido
por meu assentimento a um pedido teu.

JOCASTA

Tem calma! A precipitação sempre é contrária
às decisões fundamentadas na justiça,
enquanto o uso ponderado da linguagem
tem com freqüência efeitos conciliadores,
produto da sabedoria. Então contém
teu rancoroso olhar e este peito arfante,
cheio de cólera. Vês aqui teu irmão
e não a cabeça cortada de uma Gôrgona[37].
Tu, Polinices, volta a face para Etéocles.
Com teus olhos postos nos dele falarás
e escutarás muito melhor suas palavras.
Desejo dar-vos um conselho ponderado.
Quando dois amigos se encontram dominados
pela funesta cólera, devem olhar-se
um nos olhos do outro tendo em vista apenas
o assunto que os aproximou, pondo de lado
todas as injustiças dos dias passados.
É teu dever falar primeiro, Polinices,
meu filho, pois vieste como general

do exército formado por tantos argivos.
Dizes que foste espoliado em teus direitos.
Queira algum deus ser o juiz das injustiças
e reconciliar-vos para o bem de todos!

POLINICES

É muito simples a linguagem da verdade
e a causa da justiça não requer o uso
de explicações elaboradas; ela tira
sua força jamais vencida de si mesma
enquanto a da injustiça, por ser a mais fraca,
lança mão de sofismas para sustentar-se.
Pensei apenas no bem da casa paterna,
ou seja, no meu próprio e também no dele[37a];
para livrar-me das imprecações terríveis
lançadas certo dia contra mim e ele
por Édipo, tomei eu mesmo a decisão
de me ausentar desta cidade por um ano,
deixando o trono a meu irmão nesse período
com a condição de retomá-lo e ocupá-lo
de acordo com o revezamento pactuado;
minha intenção era evitar desta maneira
que se acendesse entre nós dois a inimizade
e o terrível rancor, semente de homicídios;
assim conjuraríamos males recíprocos,
como acontece agora. Apesar disso, ele,
depois de concordar e prestar juramento
tomando como testemunhas os bons deuses,
não quis cumprir suas promessas e reteve
para si mesmo a realeza e sua parte
nos muitos bens de nosso pai. Neste momento
estou disposto, se ele quiser entregar-me
tudo que me pertence de pleno direito,
a ordenar a retirada imediata
de minhas tropas desde que ele me transfira
este palácio de nossos antepassados,
onde serei o soberano por meu turno;
passado o ano estipulado em nosso pacto,
restituí-lo-ei sem devastar a pátria,
sem encostar escadas nas altas muralhas
para subir por elas num feroz assalto,

como farei se ignorarem meus direitos.
Os deuses imortais verão que estou fazendo
a mais elementar justiça, pois sofri
a humilhação de ser injustamente expulso
de minha terra, nesta afronta às leis sagradas.
Disse-te apenas a verdade, minha mãe,
a respeito das causas de nossa querela,
sem envolvê-la em artifícios de linguagem;
e todos os espíritos, esclarecidos
ou não, perceberão que meu direito é óbvio
— tenho certeza — e que defendo a causa justa.

CORIFEU

Fui educada longe das cidades gregas
mas tua fala me parece razoável.

ETÉOCLES[37b]

Se nós, criaturas humanas, sempre déssemos
a mesma significação a "belo" e "bom",
não haveria controvérsias e querelas.
Mas não existe entre os mortais conceito fixo
de "semelhante" nem de "igual"; estas noções
são somente palavras sem realidade.
Nada quero ocultar-te por trás das palavras
que desejo dizer-te agora, minha mãe;
eu subiria, se pudesse, até o espaço
onde caminha o sol e movem-se as estrelas,
e desceria até os abismos mais profundos
da terra para possuir sem mais ninguém
essa força divina que supera as outras
— a realeza. Não desejo partilhar
com mais ninguém este bem que é somente meu;
quero guardá-lo todo apenas para mim.
Quem abre mão do mais para aceitar o menos
é um covarde comprovado; e além disso,
sinto-me envergonhado só de imaginar
que este homem, vindo com armas nas mãos
e em vias de arrasar a sua e minha pátria,
consiga transformar dentro de pouco tempo
suas aspirações numa realidade.

Seria uma desonra para a altiva Tebas
se o medo deste exército vindo de Argos
me levasse a ceder meu cetro ao invasor.
Não é com armas, minha mãe, que ele devia
propor-nos a reconciliação agora,
pois as palavras podem remover obstáculos
com mais facilidade que as lanças mortíferas.
Se ele quer residir aqui de outra maneira,
nada o impede, mas nunca lhe entregarei
o trono e o palácio espontaneamente.
Se posso comandar, por que iria eu
ser seu escravo? Agora venham os incêndios,
venham as lanças, fiquem prontos os cavalos,
encha-se de incontáveis carros a planície!
Quanto à minha coroa, nunca ele a terá!
Se é inevitável ir contra a justiça,
melhor é ser injusto sentado no trono;
em tudo mais devemos ser benevolentes[38].

CORIFEU

Só das boas ações devemos falar bem;
estás agindo mal e ofendes a justiça.

JOCASTA

Dirigindo-se a ETÉOCLES

Nem tudo diminui nos velhos, filho meu,
e nossa longa experiência nos permite
falar com mais sabedoria que os mais moços.
Por que te apegas deste modo à Ambição,
a mais nociva de todas as divindades?
Não faças isto! Ela é deusa, mas injusta!
Em muitos lares e cidades venturosas
seu culto foi a perdição dos que a estimam.
Foi ela que te transtornou desta maneira.
É melhor reverenciar a Eqüidade
que liga para sempre amigos a amigos,
povos a povos, aliados a aliados,
pois ela sempre foi para os seres humanos
o esteio principal da estabilidade;

premidos pela carência de bens, os pobres
vivem fazendo guerra aos mais favorecidos
e o resultado é uma vida sempre instável.
Levados pelo anseio de eqüidade, os homens
criaram pesos e medidas; além disso,
ela inventou os números; a negra noite
de pálpebras sombrias e a intensa luz
do sol percorrem com passos iguais e certos
a órbita anual, sem que haja entre elas
rancor pela vitória de uma sobre a outra,
pois não lhes causa inveja seu revezamento.
E tendo assim a claridade e a escuridão
suas limitações, não te sujeitarás,
meu filho, a conceder agora a teu irmão
uma parte da herança equivalente à tua?
Onde está a justiça, então? Ainda mais:
por que procuras com tanta tenacidade
o poder soberano, essa grande injustiça
bem-sucedida? Consideras importante
ser alvo dos olhares e mil honrarias?
Muito ao contrário, isto é pura vaidade!
Desejas a tal ponto ter grandes tesouros,
causa de inesgotáveis preocupações?
Que significa ter riquezas excessivas?
Uma gloríola e apenas "mais" e "mais".
Simples palavras e nada além disso, filho!
Ao verdadeiro sábio basta o necessário.
Os bens não nos pertencem como coisa nossa;
somos apenas guardiães do que de fato
pertence às divindades e se lhes apraz
elas nos tiram tudo indiferentemente.
Pensamos que é durável a prosperidade,
mas ela é efêmera. Sê razoável!
Então pergunto-te; desejas o poder
ou preferes a salvação desta cidade?
Escolherias o poder? Mas pensa bem!
Se teu irmão vencer, se as armas dos argivos
forem vitoriosas contra nossas lanças,
verás o fim de Tebas e verás também
muitas donzelas capturadas entre as nossas,
tratadas brutalmente pelos inimigos.
Essa riqueza toda que tanto te atrai

será uma fonte de males para a pátria
tanto quanto essa tua ambição enorme.
Eis o que tenho a te dizer agora, Etéocles.
Quanto a ti, Polinices, ouve-me também.
Ádrasto comportou-se como um insensato
quando acedeu a teu pedido irracional.
Responde-me: se conquistasses nossa terra
— jamais os céus apóiem essa tentativa! —,
como, pelos bons deuses, inda poderias
oferecer troféus a Zeus? E como irias,
tu mesmo, iniciar os santos sacrifícios,
na triste qualidade de destruidor
de tua pátria? E em frente às suas ruínas,
que inscrição porias às margens do Ínaco?
"Depois de reduzir a cinzas a cidade
onde nasceu e foi criado, Polinices
quis consagrar aqui o seu escudo aos deuses"?
Ah! Filho meu! Jamais te seja concedida
a "glória" de vencer os teus compatriotas!
Mas se, ao contrário, fores derrotado aqui
e se a vitória bafejar o teu irmão
como poderás regressar ao reino de Argos
deixando atrás de ti milhares de cadáveres?
Não faltará quem diga, então: "Foste o autor
de horríveis núpcias, Ádrasto! Um matrimônio
— um só! — nos destruiu!" E ficarás exposto
a um perigo redobrado: perderás
os bens de que gozavas sem obter aqueles
que ambicionavas, Polinices. Ah! Meus filhos!
Suplico-vos! Abandonai a violência!
Abandonai-a! Não pode existir flagelo
pior que um confronto entre pontos de vista
radicalmente opostos e irredutíveis!

CORIFEU

Dignai-vos, deuses, de afastar essa desgraça!
Mandai a conciliação aos filhos de Édipo!

ETÉOCLES

Já não se trata de uma luta de palavras,

minha sofrida mãe; perdemos nosso tempo
sem resultado até agora e foi inútil
a tua tentativa. Só conseguiremos
chegar a um acordo se ele se ajustar
às minhas condições; como senhor do cetro
sou rei aqui. Ele terá de desistir
dessas exortações sem fim e retirar-se.

Dirigindo-se a POLINICES

E tu, vai já embora ou perderás a vida!

POLINICES

Que mão me matará? Quem se julga imortal
para cravar em mim o seu punhal mortífero
sem ser exterminado de maneira idêntica?

ETÉOCLES

Quem vai tirar-te a vida está perto de ti;
não estás muito longe dele. Vês meu braço?

POLINICES

Vejo-o bem, mas os escravos da riqueza
apegam-se demais à vida e são covardes.

ETÉOCLES

Então, por que trouxeste tantos combatentes
para enfrentar-me aqui, a mim que nada sou?

POLINICES

Mais vale o general prudente que o ousado.

ETÉOCLES

Estás sendo arrogante só por confiar
na trégua que te protege contra a morte!

POLINICES

Ela também te salva. Exijo novamente
o cetro e minha parte nos bens de meu pai!

ETÉOCLES

Não tens direitos! Sou senhor em meu palácio!

POLINICES

Retendo mais do que possuis?

ETÉOCLES

Já disse: sai!

POLINICES

Altares dos deuses de meus antepassados...

ETÉOCLES

Vieste para saqueá-los!

POLINICES

... escutai-me!

ETÉOCLES

Quem vai ouvir-te, a ti, que lutas contra a pátria?

POLINICES

Ah! Santuário dos deuses de alvos corcéis!...

ETÉOCLES

Eles te odeiam!

POLINICES

Privam-me de minha pátria!...

ETÉOCLES

Vieste apenas para expulsar-me da minha!

POLINICES

Ah! Deuses! Espezinhas a justiça, Etéocles!

ETÉOCLES

Invoca os deuses lá em Argos, não aqui!

POLINICES

Tua conduta mostra o ímpio que és...

ETÉOCLES

Não faço como tu a guerra à minha pátria!

POLINICES

... quando me expulsas despojando-me de tudo!

ETÉOCLES

E além de te expulsar também te matarei!

POLINICES

Percebes, pai, o mal que meu irmão me faz?

ETÉOCLES

Ele sabe o que fazes!

POLINICES

E tu, minha mãe?

ETÉOCLES

Não tens direito de falar em mãe! Não podes!

POLINICES

Ah! Tebas!...

ETÉOCLES

Volta a Argos e conquista Lerna[38a]!

POLINICES

Fica tranqüilo; irei! Agradeço-te, mãe!

ETÉOCLES

Sai daqui!

POLINICES

Saio, mas quero ver meu pai.

ETÉOCLES

Não podes!

POLINICES

Nem minhas irmãs ainda virgens?

ETÉOCLES

Tampouco terás permissão para revê-las!

POLINICES

Minhas irmãs!

ETÉOCLES

Tu, inimigo delas, chama-as?

POLINICES

Ah! Minha mãe! Só tu me escutas! Sê feliz!

JOCASTA

Inda posso pensar em ser feliz, meu filho?

POLINICES

Já não me conto entre teus filhos, minha mãe...

JOCASTA

Nasci para sofrer desgraças incontáveis!...

POLINICES

A culpa é dele, que repete seus ultrajes...

ETÉOCLES

Que faço? Estou apenas respondendo aos teus!

POLINICES

Diante de que torre deverás ficar?

ETÉOCLES

Qual a razão desta pergunta descabida?

POLINICES

Quero ficar à tua frente e te matar!

ETÉOCLES

Incitas-me a sentir desejo igual ao teu!

JOCASTA

Ai! Ai de mim! Que pretendeis fazer, meus filhos?

POLINICES

Os acontecimentos vão mostrar-te, mãe.

JOCASTA

Não há como livrar-nos das Fúrias paternas[38b]?

ETÉOCLES

Desapareça totalmente a nossa raça!

POLINICES

Daqui a pouco minha espada sanguinária
irá sair de seu repouso. Neste instante
invoco o testemunho da terra nutriz
e de todos os deuses; fui espoliado
de meus direitos e de minhas regalias,
e agora, triste vítima desamparada,
expulsam-me de minha terra como um servo
e não como filho do mesmo pai, de Édipo.
Se acontecer agora uma desgraça a Tebas,
não me acusem por isto; a culpa é de Etéocles.
Não foi idéia minha vir até aqui
e a decisão de retirar-me não é minha.
Apolo, protetor divino dos caminhos,
palácios, companheiros de minha existência,
santos altares de todas as divindades
onde se sacrificam vítimas, adeus!
Não sei se poderei saudar-vos novamente,
mais ainda acalento algumas esperanças;
elas me fazem confiar em que um dia,
depois de eliminar meu inimigo atroz
com o beneplácito dos deuses protetores,
serei senhor e rei de Tebas gloriosa!

ETÉOCLES

Sai logo desta terra! Teu pai acertou
quando quis que teu nome fosse Polinices[39],
obedecendo a uma inspiração divina,
por causa de teu ânimo contestador.

Sai POLINICES precipitadamente; JOCASTA e ETÉOCLES entram no palácio

CORO

Quando Cadmo, o tírio[40], caminhava
em direção à Grécia, encontrou
uma novilha ainda não domada
dando descanso a seu corpo quadrúpede
deitada num gramado; estava assim
cumprida a decisão oracular
de que segundo o decreto divino
ela se deteria na planície
coberta de trigais em plena Aônia[41].
O belo curso das fontes de Dirce
banha sempre com suas águas vivas
as verdejantes e férteis campinas.
Lá nasceu Brômio[42] do casamento
de sua mãe com Zeus onipotente;
no mesmo instante ramos de parreira
formando uma coroa sinuosa
cobriram de verde o recém-nascido
com as folhas mais tenras, bendizendo
o deus que as danças báquicas frenéticas
das virgens e das mulheres tebanas
celebram com seu ritmo bem marcado.
Lá se encontrava o dragão feroz
de Ares divino, guardião cruel
que sobre as águas sempre em movimento
e no riacho de margens floridas
de olhos atentos vigiava tudo.
Quando veio buscar água lustral,
Cadmo, valendo-se de grande pedra
lançada por seu braço impetuoso,
esmagou-lhe a cabeça monstruosa.
Depois, seguindo o conselho de Palas[43],
filha de Zeus e nascida sem mãe,
ele arrancou-lhe os dentes e espalhou-os
como se se tratasse de sementes;
deles nasceram homens numerosos,
mas num instante a Discórdia feroz
de coração de ferro os devolveu
à Terra-mãe de onde vem toda a vida;
com o sangue deles Cadmo umedeceu
o solo ávido que, à luz solar,

os expusera aos ventos incorpóreos.
E nesta hora te chamamos, Épafo,
descendente de Zeus, filho de Io,
avó antiga! Sim, nós te chamamos
em altos brados, à maneira bárbara,
com nossas preces bárbaras! Visita,
escuta esta cidade instituída
por veneráveis descendentes teus!
É ela que as deusas de nome duplo[44],
e a deusa amada por todos os homens
— a Terra, soberana universal,
universal nutriz —, preferem sempre.
Escolta as divindades portadoras
de tochas sempre acesas! Vem agora
trazer socorro a Tebas, hoje aflita!
Os deuses fazem tudo que desejam.

ETÉOCLES sai do palácio e se dirige a um servo

ETÉOCLES

Vai sem perda de tempo em busca de Creonte,
filho de Meneceu e irmão de Jocasta,
e traze-o contigo! Dize-lhe primeiro
que, para proteger o Estado e meu palácio,
desejo reunir os membros do Conselho
com a presença dele antes da luta próxima,
e tomar providências quanto à posição
de nosso exército na hora da batalha.

Vendo CREONTE que se aproxima

Mas ele te poupa a fadiga da corrida,
pois se aproxima; já consigo percebê-lo
encaminhando-se para nosso palácio.

Entra CREONTE

CREONTE

Andei por muitas horas para ver-te, Etéocles;
passei por todas as sete portas de Tebas
e pelas sentinelas à tua procura.

ETÉOCLES

Eu também estava ansioso por falar-te,
pois fracassaram nossas frágeis esperanças
de uma reconciliação com Polinices;
fiz esta descoberta quando o encontrei.

CREONTE

Ouvi dizer que, insuflado pelo orgulho,
ele quer ir além de Tebas, pois confia
em seu exército e em suas ligações
com Ádrasto e sua família. Quanto a isso,
deixemos que nos venha a solução dos deuses.
Desejo conversar contigo neste encontro
sobre nossas necessidades mais prementes.

ETÉOCLES

Que vais dizer? Tua linguagem é ambígua.

CREONTE

Chegou aqui um desertor dos atacantes.

ETÉOCLES

Que novidades ele traz do acampamento?

CREONTE

As forças dos argivos tentarão cercar-nos.

ETÉOCLES

Então devemos avançar com nossas tropas.

CREONTE

Dize: para que sairíamos? És jovem
e não consegues ver o que deve ser visto.

ETÉOCLES

Temos de atravessar o fosso para entrar
em luta sem perder um minuto sequer.

CREONTE

Nós somos poucos e eles são inumeráveis.

ETÉOCLES

Apenas em palavras eles são valentes.

CREONTE

Argos tem certa fama entre as cidades gregas.

ETÉOCLES

Não temas, pois seus mortos cobrirão o solo.

CREONTE

Seria bom, mas muito custaria a Tebas.

ETÉOCLES

Não conterei as tropas dentro das muralhas.

CREONTE

A conduta prudente garante a vitória.

ETÉOCLES

Queres que eu imagine outras alternativas?

CREONTE

Desejo que tentemos todos os recursos
em vez de arriscar nossa sorte num só golpe.

ETÉOCLES

E se avançarmos contra nossos inimigos
durante a noite, recorrendo a uma emboscada?

CREONTE

Desde que voltes salvo em caso de fracasso.

ETÉOCLES

A noite iguala todos os expedientes,
mas ela favorece sempre os mais ousados.

CREONTE

É trágico um revés na escuridão noturna.

ETÉOCLES

Devo atacá-los na hora da refeição?

CREONTE

Sem qualquer dúvida seria grande o pânico,
mas não queremos assustar e sim vencer.

ETÉOCLES

As águas abismais de Dirce tornariam
difícil uma retirada dos argivos.

CREONTE

Nada é tão útil como tomar precauções.

ETÉOCLES

E se atacássemos com a cavalaria?

CREONTE

As forças inimigas têm a proteção
de uma muralha feita com seus muitos carros.

ETÉOCLES

Que poderíamos, então, fazer agora?
Abrir aos adversários as portas de Tebas?

CREONTE

Jamais! Pede conselho à tua prudência.

ETÉOCLES

Qual a mais sábia precaução neste momento?

CREONTE

Dizem que os sete chefes das tropas argivas...

ETÉOCLES

Que farão eles? Seu poder é reduzido.

CREONTE

... assaltarão as sete portas com seus homens.

ETÉOCLES

E que faremos nós? Não ficarei inerte
vendo tornar-se crítica a situação.

CREONTE

Escolhe contra eles sete chefes nossos
e os põe imediatamente junto às portas.

ETÉOCLES

Para o comando de outros tantos contingentes
ou para duelarem contra os sete argivos?

CREONTE

Eles comandarão os nossos contingentes.
Designa para tal missão os mais valentes.

ETÉOCLES

Agora estou compreendendo; cuidarão
de impossibilitar as forças inimigas
de penetrarem nas nossas altas muralhas.

CREONTE

Partilharás também com eles o comando;
um homem só não pode estar em toda parte.

ETÉOCLES

Escolho-os por sua audácia ou prudência?

CREONTE

É necessário unir as duas qualidades;
nenhuma delas tem valor se falta a outra.

ETÉOCLES

Meu plano é o seguinte: irei às nossas portas
para apontar a cada chefe a que lhe cabe,
de acordo com a tua opinião sensata;
opô-los-ei ao inimigo em igual número.
Mas nomear cada um deles tardaria
quando o exército atacante está aqui,
junto às muralhas protetoras da cidade.
Devo partir para evitar que essa inércia
tire de nossos braços o vigor antigo.
Queiram os deuses que eu encontre meu irmão,
pois anseio por enfrentá-lo e derrotá-lo
com minha lança, exterminando o traidor
ansioso por devastar a nossa pátria!
Se a sorte for contrária à minha expectativa,
promove o casamento de teu filho Hêmon
com minha irmã Antígona, pois ratifico
na hora de partir o que já aprovei.
Quanto a Jocasta, minha mãe, és irmão dela
e a hora não é própria para longas falas:
dispensa-lhe atenções dignas de ti, Creonte,

como eu faria se continuasse vivo.
Quanto a meu pai, ele voltou contra si mesmo
o seu destino, perfurando os próprios olhos.
Jamais aprovarei essa atitude insana
e sua maldição talvez nos extermine.
Resta, entretanto, uma preocupação:
se o profeta Tirésias ainda tiver
algum oráculo veraz a revelar,
que venha anunciá-lo com seus próprios lábios.
É meu dever dar ordens sem perda de tempo
a Meneceu, teu filho, portador do nome
de teu saudoso pai, para trazer o vate.
Ele apreciará um encontro contigo,
enquanto eu, por já haver menosprezado
diante dele a arte da adivinhação,
somente atrairia seu justo rancor.
Aí estão, Creonte, as recomendações
quanto à minha cidade amada e a ti mesmo.
Se nossa causa triunfar, nunca permitas
que seja sepultado em Tebas o cadáver
de Polinices derrotado; a pena imposta
a quem tiver a audácia de enterrá-lo aqui,
inda que se trate de amigos é a morte!
São estas as palavras que tinha a dizer-te.
Agora me dirijo a meus bons servidores:
trazei-me as minhas armas e as diversas partes
de minha sólida armadura; avancemos
para o confronto marcial, onde a justiça
nos guiará para a vitória desejada!
É hora de invocar com preces a Prudência,
a divindade mais solícita e mais útil,
pedindo-lhe a preservação desta cidade.

Os servidores trazem as armas de ETÉOCLES, *que as empunha e ajusta a armadura; saem os servidores acompanhando* ETÉOCLES

CORO

Ares, deus que sempre semeias luto
em toda parte, por que te comprazes
com o sangue e com a morte entre clamores
tão diferentes dos que são ouvidos

nas procissões em louvação de Brômio?
Em vez de te juntares, exultante,
aos movimentos lépidos do coro
de jovens, assanhando teus cabelos,
e de entoar ao som das flautas doces
as belas árias de acompanhamento
das danças, cantas hinos marciais
para insuflar o exército de argivos
a derramar o sangue dos tebanos!
O coro que te segue não tem flautas!
Nem é tampouco para te entregares
ao turbilhão das bacanais frenéticas
cobrindo o corpo com peles de corças
e manejando o tirso indispensável,
que sobes a teu carro, submetendo
ao freio teus corcéis emparelhados;
lanças teus esquadrões perto do Ismeno,
incitas nos argivos e no povo
descendente dos dentes do dragão
a fúria dos combates acirrados;
revestes de armaduras resistentes
e levas contra as muralhas de pedra
o coro belicoso de inimigos
tranqüilos sob a proteção de escudos!
E nessa intromissão calamitosa
tens a teu lado a terrível Discórdia,
deusa maligna que desencadeia
seus golpes contra os reis desta cidade,
nobres labdácidas infortunados[45]!
Citéron, bosque de árvores sagradas,
esconderijo de indomáveis feras,
montanha sempre coberta de neve,
a preferida por Ártemis casta!
Por que salvaste piedosamente
o filho de Jocasta, abandonado
sobre um rochedo para lá morrer,
a criancinha frágil, rejeitada
pela casa paterna, este Édipo
que traz as marcas dos broches dourados
com cujas pontas perfurou os olhos?
Por que os céus quiseram que a Esfinge,
monstro implacável que há muito tempo

desceu sobre nossas altas muralhas,
levasse em suas finas garras quádruplas
até as regiões resplandecentes
do éter interdito a nós, mortais,
a raça oriunda do vetusto Cadmo
— flagelo insuportável enviado
por Hades[46] dos infernos contra Tebas —
para espalhar o luto nesta terra
com hinos detestados pelas Musas?
Agora te castiga outra desgraça:
a desavença entre os filhos de Édipo,
funesta à casa dele e à cidade.
O que desde o princípio não é bom
não será bom com o passar do tempo;
a vinda ao mundo de filhos espúrios
sempre será a mácula do pai,
a vergonha da mãe que há muitos anos
pecou subindo ao leito incestuoso.
Ah! Terra! Antigamente deste à luz
— soubemos disso em nosso país bárbaro —,
sim, deste à luz a raça originária
dos dentes do dragão farto de carne
de muitas feras, trazendo no dorso
a crista sempre ávida de sangue,
raça que é glória e orgulho de Tebas!
Todos os deuses desceram do Olimpo
dispostos a presenciar as núpcias
festivas de Harmonia[47]; ao som da cítara,
aos acordes da música de Anfíon,
miraculosamente se elevaram
as torres das muralhas da cidade,
entre os dois rios cujas águas vêm
de Dirce, a fonte que, antes do Ismeno,
banha as belas campinas verdejantes.
E da novilha Io, nossa avó,
nasceram os reis dos cadmeus ilustres.
Tebas, que recebeu de mil maneiras
as bênçãos sucessivas da Fortuna,
chegou um dia ao cúmulo da glória
proveniente dos feitos guerreiros!

Entra Tirésias, *o velho adivinho cego, apoiado num bordão e com uma coroa de ouro na cabeça, a passos vacilantes, amparado por sua filha e seguido por* Meneceu

Tirésias

Conduze-me para mais longe, filha, e guia-me.
És os olhos do cego, como a estrela lúcida
indica a rota aos nautas; segue por aqui,
dirigindo meus passos pelo solo firme
para evitar tropeços, pois teu pai é fraco.
Preserva em tuas mãos de virgem as respostas
que percebi levando em conta a descrição
do vôo dos velozes pássaros, sentado
no sagrado tripé, lá onde profetizo
com base nos presságios. Tu, Meneceu,
quase criança, filho de Creonte, dize-me:
inda temos de caminhar por muito tempo
pela cidade, até onde ficou teu pai?
Meus joelhos fraquejam e em conseqüência
desta longa viagem mal posso marchar.

Creonte

Coragem, idoso Tirésias! Já podes
lançar a âncora perto de teus amigos.
Sustenta-o, meu filho, pois o ancião
é comparável à parelha de cavalos
que puxa um carro: ele tem necessidade
de alguém capaz de o ajudar e conduzir.

Tirésias

Estamos bem. Eis-nos aqui. Por que, Creonte,
mandaste Meneceu chamar-me urgentemente?

Creonte

Já saberás. Antes, porém, refaze as forças
e ganha alento repousando da viagem.

TIRÉSIAS

De fato, estou muito cansado; cheguei ontem
da terra de Erecteu[48]. Há uma guerra lá
contra o exército de Eumolpo e é de mim,
como descendente de Cêcrops[49], que dependem
as honras da vitória. A coroa de ouro
que trago na cabeça é uma escolha minha
como primícia entre muitos despojos
tomados do inimigo em uma das batalhas.

CREONTE

Esta coroa de vitória é bom presságio,
pois os filhos de Danaôs[50] já se deslocam
contra nossa cidade e é muito grave a hora
para os tebanos todos. Nosso rei, Etéocles,
pesadamente armado, já saiu daqui
para enfrentar a investida dos micênios.
Momentos antes ele me incumbiu de ouvir
de tua própria boca o conselho eficaz
para salvarmos a cidade do desastre.

TIRÉSIAS

Se fosse por Etéocles eu calaria
e guardaria meus oráculos verídicos,
mas já que insistes em saber, devo falar.
Nossa cidade sofre de um antigo mal
desde que Laio desejou tornar-se pai
contrariando um dia a vontade divina
e decidiu engendrar Édipo infeliz,
que deveria unir-se à sua própria mãe;
sem dúvida a perfuração dos olhos dele
com as próprias mãos ensangüentadas foi a obra
da sapiência dos deuses onipotentes,
como lição perene a toda a gente grega.
Os filhos de Édipo quiseram sepultar
nas sombras o pecado resistente ao tempo,
imaginando assim fugir às divindades;
mas eles se enganaram em sua cegueira.
Sem pensar no respeito devido a seu pai

e impedindo-o de partir, exasperaram
a lamentável vítima de um infortúnio;
alucinado por seus males e ultrajado,
ele amaldiçoou terrivelmente os filhos.
Naquela ocasião eu fiz e disse tudo
que esperavam de mim, porém ganhei somente
o ódio de Polinices e de Etéocles.
Mas a morte dos dois, Creonte, é iminente;
eles se matarão com suas próprias mãos
e muitos corpos cairão uns sobre os outros
no choque das armas argivas e cadméias,
levando a Tebas pungentes lamentações.
Ah! Cidade infeliz! Já te vejo arrasada
se não obedeceres às minhas palavras!
Seria necessário antes de mais nada
que nenhum dos filhos de Édipo ostentasse
em nossa terra o nobre título de rei
nem o de cidadão, pois estão possuídos
por um gênio do mal, e o destino de ambos
é destruir esta cidade. Neste instante,
quando o mal sobrepuja o bem, somente resta
uma esperança tênue de salvação.
Mas para mim é perigoso revelá-la
e para os que já têm a marca do destino
é doloroso oferecer à nossa terra
o único remédio capaz de salvá-la.
Por isso vou-me embora; adeus! Serei apenas
um entre muitos a, se necessário for,
estar em condições de suportar, Creonte,
os males iminentes. Nada mais direi.

Tirésias faz menção de retirar-se

CREONTE

Pára, Tirésias!

TIRÉSIAS

Não me obrigues a ficar!

CREONTE

Fica! Por que insistes em deixar-me agora?

TIRÉSIAS

É o destino que te deixa; não sou eu.

CREONTE

Dize-nos! Como poderemos salvar Tebas?

TIRÉSIAS

Hoje queres saber... Depois não quererás...

CREONTE

Como não insistir em salvar minha pátria?

TIRÉSIAS

Persistes em ouvir-me? Este é teu desejo?

CREONTE

Pode existir coisa mais grave em que pensar?

TIRÉSIAS

Depois de alguns momentos de silêncio

Venceste-me, afinal. Escuta meus oráculos.
Antes, porém, quero saber precisamente
onde está Meneceu, que me guiou na vinda.

CREONTE

Ele não se afastou: está perto de ti.

TIRÉSIAS

Então se afaste já de mim, de meus oráculos!

CREONTE

Ele é meu filho e guardará os teus segredos.

TIRÉSIAS

Queres que eu diga tudo na presença dele?

CREONTE

Ele sem qualquer dúvida se alegrará
quando souber que há meios de salvar a pátria.

TIRÉSIAS

Fica sabendo, homem, as vias seguidas
por meus oráculos: tens de sacrificá-lo
para que Tebas seja salva da extinção!
Teimaste em conhecer a sorte; agora a ouves.

CREONTE

Como, ancião? Que significa tua fala?

TIRÉSIAS

Este é o decreto inapelável do destino.

CREONTE

Anunciaste num instante um mal sem fim!

TIRÉSIAS

O que é um mal para ti mesmo salva a pátria.

CREONTE

Não quero ouvir nem entender! Adeus, cidade!

TIRÉSIAS

À parte

Ele não é o mesmo; já mudou de idéia...

CREONTE

Adeus! Afasta-te! Não quero teus oráculos!

TIRÉSIAS

A verdade mudou porque és infeliz?

CREONTE

Ajoelhando-se e abraçando os joelhos de TIRÉSIAS

Por teus joelhos e por teus cabelos brancos!

TIRÉSIAS

Por que suplicas? Aceita o inevitável!

CREONTE

Não menciones aos tebanos este oráculo!

TIRÉSIAS

Agora pedes que eu não cumpra o meu dever.
Não posso concordar! Não poderei calar-me!

CREONTE

Qual é o teu desejo, então? Matar meu filho?

TIRÉSIAS

Outros cuidarão disto; eu apenas falei.

CREONTE

Por que nos fere esta desgraça, a mim e a ele?

TIRÉSIAS

Sei que tens bons motivos para interrogar-me

e discutir comigo; o jovem Meneceu
terá de ser sacrificado na caverna
onde vivia o dragão filho da Terra,
guardião das águas puras da fonte Dircéia,
e todo o sangue derramado pela vítima
deverá ser usado para libações
sobre a mãe-terra para apaziguar agora
a mágoa mal contida de Ares contra Cadmo
e resgatar enfim a morte do dragão.
Assim Tebas terá o deus como aliado.
Se por seu fruto morto a terra receber,
embora tarde, outro fruto, e pelo sangue
do monstro lhe for dado o sangue de um mortal,
ela será bondosa com tua cidade.
Foi ela que há muito tempo produziu
a raça dos Espartos[51] com seus capacetes
feitos de ouro puro; a mesma estirpe deles
deve ofertar à Morte o filho descendente
dos dentes do dragão. Identifico em ti
a estirpe dos Espartos e um remanescente
da raça deles por via de tua mãe
e dos nobres antepassados de teu pai,
à semelhança de teus filhos excelentes.
Mas Hêmon, que está noivo, não pode ser morto,
pois não é livre (embora não tenha casado,
já está preso a uma virgem para as núpcias).

Apontando para M*ENECEU*

Apenas este adolescente salvará
com a morte dele a terra de seus ancestrais
se o consagrares à cidade onde nasceu.
Ele preparará um retorno funesto
a Ádrasto e a seus argivos numerosos,
lançando à sua frente o destino sombrio,
para a glória de Tebas. Terás de escolher
entre duas opções: preservarás teu filho
ou tua pátria. Já disse o que sabia.

Dirigindo-se à filha que o guiava

Agora leva-me de volta, minha filha.

É louco o homem que conhece os vaticínios;
se por acaso prediz algum infortúnio,
passa a ser odiado pelas criaturas
cujo porvir ele procura adivinhar;
se, tendo pena de quem quis interrogá-lo,
prefere seguir o caminho da mentira,
descumpre o seu dever e ofende as divindades.
Somente Apolo deveria revelar
aos homens seu futuro, pois não os receia.

Sai Tirésias guiado pela filha

CORIFEU

Perdeste a voz, Creonte, a ponto de calar?
Meu próprio estupor não é menor que o teu.

CREONTE

Que direi eu, então? Minha resposta é óbvia.
Não! Nunca, em tempo algum, eu chegaria ao cúmulo
de condenar meu filho a este sacrifício,
inda que fosse para a salvação de Tebas!
O amor paterno encontra-se em todos os homens
e nenhum pensaria em ver o filho morto!
Não quero que me glorifiquem por tirar
a vida preciosa de minhas crianças!
Eu mesmo já cheguei à idade de morrer;
disponho-me a perder a minha própria vida
para evitar que a pátria seja subjugada!
Vai, filho meu! Foge sem perda de um minuto
antes de Tebas receber informações
sobre o oráculo! Esquece os adivinhos
e suas predições calcadas na insolência!
Tirésias irá falar com os magistrados,
com os chefes militares, e se encontrará
nas sete portas com os defensores delas.
Se formos antes dele nada sofrerás,
mas se tardarmos haverá o sacrifício;
tu morrerás e nós estaremos perdidos!

MENECEU

Para que terra poderei fugir agora?
Que anfitrião me acolherá nesta emergência?

CREONTE

Parte para bem longe, para o fim do mundo!

MENECEU

Manda, meu pai, pois meu dever é obedecer-te.

CREONTE

Passa por Delfos...[51a]

MENECEU

Para que país irei?

CREONTE

... para a Etólia.

MENECEU

De lá vou para onde?

CREONTE

Viaja sem parar até a Tesprotia[52].

MENECEU

Perto do templo venerável de Dodona?

CREONTE

Já sabes.

MENECEU

Lá terei ajuda dos nativos?

CREONTE

O próprio deus sem dúvida te ajudará.

MENECEU

Com que recursos poderei sobreviver?

CREONTE

Receberás de mim o ouro necessário.

MENECEU

Estás com a razão, meu pai. Nada receies.
Antes de ir embora para me salvar
desejo ver ainda tua irmã, Jocasta;
os seios generosos dela me nutriram,
pois minha mãe — coitada! — faleceu no parto;
quero dizer-lhe adeus. Vai para teu lugar
e não cries obstáculos a meus desígnios.

Sai CREONTE. MENECEU passa a dirigir-se às mulheres do CORO

Afinal consegui, mulheres, dissipar
a preocupação de meu querido pai,
valendo-me de uma argumentação fictícia.
Mandando-me sair daqui sem mais demora
ele condena Tebas a ser derrotada
e me constrange a proceder covardemente.
Devemos perdoar as pessoas idosas,
mas eu não poderia merecer perdão[52a]
se me tornasse agora um traidor da pátria,
à qual devo a existência. Ficai sabendo:
hei de salvar a nossa muito amada Tebas!
Morro por ela; minha vida lhe pertence.
Seria uma vergonha enorme para mim
se outros tebanos, sem estarem mencionados
em manifestações divinas — nos oráculos —,
nem constrangidos por um decreto dos deuses,
não temessem a morte e a enfrentassem firmes
por trás de seus escudos, prontos para a luta

ao pé de nossas antiqüíssimas muralhas,
e eu traísse meu irmão, meu pai e Tebas,
abandonando-os vencido pelo medo!
Em qualquer parte para onde eu me dirija
serei chamado justamente de covarde!
Jamais eu poderia proceder assim,
supremo Zeus que reinas entre os astros claros,
e Ares, deus dos combates encarniçados,
que deste outrora a Tebas a raça oriunda
dos dentes do dragão semeados na terra!
Em vez de desertar eu ficarei de pé
na crista das muralhas e matar-me-ei
com minhas próprias mãos, indo cair sem vida
no antro escuro do dragão, cumprindo a ordem
do vate cego, e será salva nossa pátria!
Tomei esta resolução agora e parto!
Meu sacrifício não será para a cidade
uma oferenda a desdenhar. Graças a ele
Tebas se livrará do perigo iminente
que paira sobre ela de ser destruída.
Se cada cidadão estivesse disposto
a fazer sempre o maior bem a seu alcance,
contribuindo com o devido altruísmo
para a felicidade da terra natal,
nossas cidades todas sofreriam menos
e não teria fim sua prosperidade!

Sai MENECEU

CORO

Ah! Criatura alada, filha de Êquidna[53],
monstro infernal, e da divina terra,
fera terrível com corpo de virgem,
provida de asas ágeis, furiosas,
e garras prontas a dilacerar!
Apareceste para aniquilar
os descendentes do fenício Cadmo
e semear em Tebas gloriosa
o luto e a maior desolação!
Dos lugares banhados pelas águas
da fonte sempre límpida de Dirce

levaste pelos ares muitos jovens,
funesta Fúria, e teus enigmas,
cantos sem a melodia das liras,
flagelo horrível, trouxeram a Tebas
os mais dilacerantes sofrimentos!
Mandou-te para cá um deus sedento
de sangue derramado sem razão.
Os soluços das mães e das donzelas
eram ouvidos em todas as casas,
juntamente com gritos aflitivos,
gritos de dor; os cantos eram fúnebres,
cantos de luto que em todos os tons
saíam altos de todas as bocas
e reboavam na cidade inteira.
E gritos e gemidos retumbantes
soavam como se fossem trovões
quando a virgem alada[54], impiedosa,
causava a morte de mais um tebano.
Mandado pelo oráculo de Apolo,
chegou enfim a esta terra Édipo,
o infelicíssimo, naquela hora
o salvador de Tebas, mas depois
a causa de sua maior desgraça!
Ele casou com sua mãe — coitado! —
depois de haver eliminado a Esfinge
e maculou com união funesta
sua cidade; agora correrá
mais sangue em luta ímpia entre irmãos
por causa de suas imprecações!
Merece toda a nossa admiração
o jovem que saiu daqui há pouco
pronto para morrer por sua pátria.
Ele dá a seu pai razões bastantes
para sentidas, abundantes lágrimas,
mas assegura uma bela vitória
a Tebas e às suas sete torres.
Queiram os céus que possamos ser mães
de heróis iguais ao bravo Meneceu!
Concede-nos filhos assim, Atena,
pois deste a Cadmo as pedras e a coragem
para esmagar o dragão cuja morte
fez cair sobre Tebas o flagelo

devastador mandado pelos deuses!

Aparece o Mensageiro, *escudeiro de* Etéocles, *falando do lado de fora de uma das portas da cidade*

Mensageiro

Alguém está de guarda às portas da cidade?
Abre e chama Jocasta para vir aqui!
Torno a chamar! Demoras muito! Vem ouvir-me
ilustre esposa de Édipo! Interrompe logo
as tuas lágrimas de dor e teus gemidos!

Aparece Jocasta *e a porta é aberta*

Jocasta

Vieste anunciar, amigo pressuroso,
uma desgraça, a morte de meu filho Etéocles,
tu que o acompanhaste sempre nos combates
para livrá-lo dos projéteis do inimigo?
Que vens dizer? Está morto meu filho? Fala!

Mensageiro

Ele está vivo; esquece, então, este receio.

Jocasta

As sete portas e as muralhas, como estão?

Mensageiro

Estão intactas, sem uma brecha sequer;
Tebas bem protegida não foi conquistada.

Jocasta

E ela enfrentou o impacto das lanças argivas?

Mensageiro

A luta foi feroz até a decisão,

mas Ares deu os louros da vitória a Tebas
numa batalha contra as armas dos micênios.

JOCASTA

Pelos bons deuses, dize-me em poucas palavras:
que sabes sobre Polinices? Está vivo?
Sinto-me angustiada quando penso nisto.

MENSAGEIRO

Até agora teus dois filhos estão vivos.

JOCASTA

Bendito sejas! Mas como, de que maneira,
estando lá em cima, nas seguras torres,
nossos guerreiros conseguiram repelir
das sete portas um exército de argivos?
Revela-me, para que eu possa retornar
a meu palácio e alegrar o velho cego[54a]
com a notícia de que Tebas está salva!

MENSAGEIRO

De pé na crista de nossas altas muralhas
o filho de Creonte, para dar a vida
por sua pátria amada, acaba de enterrar
com toda a força a espada escura no pescoço,
livrando assim da perdição Tebas antiga.
Teu filho Etéocles mandou na mesma hora
às nossas sete portas sete batalhões
com os respectivos comandantes, no intuito
de repelir os contingentes dos argivos;
ele ordenou que cada cavaleiro nosso
ficasse em frente a cada cavaleiro deles
e fez o mesmo em relação à infantaria,
alerta para socorrer num instante
a parte das muralhas mais ameaçada.
Do alto de nossas defesas distinguíamos
o avanço dos muitos soldados inimigos
vindos do Têumeso[55], todos bem protegidos

por seus escudos brancos; em marcha forçada
eles se aproximaram do fosso profundo
ao pé da proteção da cidade de Cadmo.
Tanto nas posições das forças atacantes
como em nossas muralhas, todos escutaram
ao mesmo tempo um hino ao ânimo guerreiro,
acompanhado por trombetas estridentes.
Partenopeu foi o primeiro a avançar
para atacar a porta de Neís, guiando
os batalhões velozes repletos de escudos
nos quais sobressaía o javali da Etólia
morto de longe pelas flechas infalíveis
da rápida Atalante[55a]. Em direção à porta
chamada de Pretida, cercado de vítimas
em seu carro veloz, corria Anfiarau,
o famoso adivinho, que não ostentava
emblemas presunçosos num escudo simples.
Hipomedon marchou para a porta de Ogígia;
no centro de seu grande escudo estava Argos[56]
com seus olhos inumeráveis bem abertos
do lado do Levante, mas semicerrados
do lado do poente, como distinguimos
após a morte do guerreiro na peleja.
Tideu tinha seu posto de combate em frente
à porta conhecida como Homoloís;
ele ostentava por cima de seu escudo
a pele de um leão com a juba eriçada,
e querendo imitar o titã Prometeu
brandia uma tocha em sua mão direita,
pois pretendia reduzir Tebas a cinzas.
Teu próprio filho Polinices comandava
o ataque contra a porta da fonte de Dirce;
no seu escudo destacavam-se em relevo
as éguas de Potnias, muito conhecidas
por sua rapidez; olhando-as, notava-se
que se empinavam sob o efeito de um susto;
movidas por algum dispositivo oculto
no interior do escudo, bem perto do punho,
elas pareciam resfolegar raivosas.
Fogoso como Ares nos combates árduos,
o bravo Capaneu levava suas tropas
para a porta de Electra; seu escudo feito

de puro ferro, apresentava um dos gigantes
filhos da Terra, carregando nas espáduas
uma cidade inteira com seus alicerces,
arrancada do solo com uma alavanca
— imagem do destino prometido a Tebas.
E na sétima porta, enfim, estava Ádrasto;
no braço esquerdo ele portava seu escudo
onde estava pintada a Hidra[57], orgulho de Argos,
com cem cabeças cujas bocas engoliam
no meio das muralhas os filhos de Cadmo.
Eis o que pude distinguir em cada porta.
Aparecia à minha frente esse espetáculo
enquanto eu transmitia a palavra de ordem
aos comandantes, pastores dos batalhões.
Usamos a princípio nos duros combates
o arco e lanças curtas e também a funda,
graças à qual sempre atingíamos o alvo
arremessando pedras a longa distância.
Como levávamos vantagem na refrega,
Tideu e teu filho gritaram de repente:
"Antes de sermos reduzidos a pedaços,
filhos de Danaôs, por que não avançais
maciçamente para derribar as portas,
soldados das tropas ligeiras, cavaleiros,
condutores de carros?" Em seguida aos gritos,
ninguém ficou imóvel; muitos combatentes
foram feridos na cabeça, de onde o sangue
corria sem parar, e outros, atingidos
junto às muralhas, entregavam sua alma
regando com ondas de sangue a terra seca.
O filho de Atalante — arcádio e não de Argos —
lançou-se contra a porta como um furacão,
pedindo aos gritos fogo e uma picareta
como se fosse destruir toda a cidade;
mas seu furor impetuoso foi detido
por Periclímeno, filho do deus do mar,
que o atingiu com uma pedra que bastava
para lotar um carro — um bloco destacado
da base das altas muralhas —, esmagando-lhe
a cabeça coberta de cabelos louros
e desfazendo todas as juntas do crânio
e ensangüentando sua face juvenil

dourada pela barba ainda incipiente;
nunca mais sua mãe, a hábil caçadora
filha de Mênalo[58], poderá vê-lo vivo!
Sentindo-se favorecido pela Sorte
naquela porta, teu filho foi para outra
e eu segui seus passos. Vi então Tideu
e os combatentes comprimidos perto dele,
tentando solapar com suas lanças curtas
o flanco descoberto de nossas muralhas
e pôr em fuga nossos bravos companheiros
que defendiam as ameias dos ataques.
Etéocles, como se fosse um caçador,
reagrupou-os e os levou de volta aos postos.
Depois de restabelecer a segurança
naquela porta, fomos apressadamente
até a próxima. Como descreverei
a violência e o furor de Capaneu?
Ele avançou levando uma comprida escada
para subir pelas muralhas e gritou
jactanciosamente que nem mesmo o fogo
sagrado de Zeus poderoso o impediria
de aniquilar nossa cidade inteiramente;
ao mesmo tempo começou a escalar
nossas muralhas sob uma chuva de pedras
com o corpo protegido pelo escudo enorme.
Quando faltava pouco para se firmar
nas ameias das torres, Zeus o fulminou
com um raio certeiro que abalou a terra
estrepitosamente; o ímpio Capaneu
rolou da escada e seu cadáver despencou
até o chão, completamente envolto em chamas.
Ádrasto, vendo Zeus voltar-se contra ele,
levou seus comandados para além do fosso.
Nossos soldados, ao contrário, observando
estarrecidos o prodígio, perceberam
que Zeus tomara a decisão de os ajudar.
Num átimo, carros, infantes, cavaleiros
saíram por todas as portas das muralhas
e começaram a lutar contra os argivos,
que foram vítimas de um desastre completo;
caindo de seus carros eles eram mortos;
rodas e eixos voavam seguidamente,

e caíam cadáveres sobre cadáveres.
Dessa maneira conseguimos evitar
ao menos hoje a queda de nossas muralhas.
Tebas terá a mesma sorte em outro embate?
Somente as divindades podem responder;
até este momento um deus nos ajudou.

CORIFEU

Vencer é glorioso, mas nós esperamos
um benefício inda maior das divindades[58a].

JOCASTA

Nada mais pedirei aos deuses nem à sorte,
pois meus dois filhos vivem e Tebas foi salva.
Mas, Creonte parece haver colhido os frutos
de minhas bodas e dos infortúnios de Édipo
muito infeliz; ele perdeu um de seus filhos
para o bem da cidade e seu desespero.
Prossegue em tua narração e dize logo
o que meus filhos pretendem fazer agora.

MENSAGEIRO

Não te inquietes com o resto; nada falta
neste momento para seres venturosa.

JOCASTA

Suspeito de tua maneira de falar;
não te detenhas antes do fim da mensagem.

MENSAGEIRO

Podes querer felicidade mais completa
que a de saber que teus dois filhos estão vivos?

JOCASTA

Dize se também sou feliz em tudo mais.

MENSAGEIRO

Deixa-me ir!... Teu filho espera o escudeiro...

JOCASTA

Pretendes ocultar-me alguma desventura
tentando disfarçá-la com ambigüidades?

MENSAGEIRO

Minhas palavras te trouxeram alegria;
não quero ser agora núncio de tristeza.

JOCASTA

Tens de falar, a menos que desapareças
em pleno ar para fugir à punição!

MENSAGEIRO

Ai! Ai de mim! Por que não me deixas partir
após uma boa notícia? Por que
me forças a comunicar-te uma desdita?
Teus filhos se preparam — ousadia bárbara! —
para um duelo, apenas eles entre todos;
os dois fizeram a proclamação há pouco,
tanto aos argivos como a nós, homens de Tebas
— antes nunca tivessem dito essas palavras!
Primeiro Etéocles, do alto de uma torre,
depois de impor silêncio pela voz do arauto,
gritou: "Chefes da Grécia, chefes dos argivos
que agora estais aqui, e vós, cadmeus presentes,
não arrisqueis por Polinices e por mim
as vossas vidas! Meu desejo é liberar-vos
dos perigos da guerra e me engajar em luta
com meu irmão; se conseguir tirar-lhe a vida,
terei a honra de continuar a ser
o único senhor do palácio real;
se ele vencer, será o novo rei de Tebas.
Cessai, então, de combater, vós, estrangeiros,
e regressai à vossa terra, à vossa Argos;

não perdereis a vida ao pé destas muralhas.
Quanto aos tebanos, muitos já cobrem o chão
com seus cadáveres." Assim ele falou
e Polinices afastou-se num instante
de seu lugar para aplaudir essas palavras.
Argivos e cadmeus unânimes acharam-nas
perfeitamente justas, e deixando os postos
manifestaram juntos sua aprovação,
comprometendo-se a respeitar o duelo;
então, diante de todos os combatentes,
os comandantes fizeram o juramento
de submeter-se fielmente à decisão.
Os dois filhos de Édipo já se cobriam
com suas armaduras brônzeas, ajudados
por seus amigos, nosso rei pelos tebanos
mais destacados da cidade, e Polinices
pelos chefes argivos. De pé e brilhantes
em suas armaduras, com o rosto impávido,
impacientes para pelejar, os dois
já empunhavam tensamente suas lanças.
De cada lado seus amigos comprimiam-se
em volta deles, procurando incentivá-los,
dizendo assim: "Depende de ti, Polinices,
erigir um troféu, uma imagem de Zeus,
e coroar de glória imorredoura Argos!"
E ao outro: "Estás lutando pela tua pátria,
Etéocles! Vence e serás sempre seu rei!"
Assim os incitavam todos os amigos
para o combate singular. Os adivinhos
imolavam ovelhas prestando atenção
para verificar se as chamas nos altares
subiam retas e velozes para o céu
ou vacilavam, lentas — funesto presságio! —
e qual era o aspecto do fogo das tochas,
que pode assinalar derrota ou vitória.
Se tens, Jocasta, meios de afastar depressa
a desgraça iminente com palavras sábias
ou com encantamentos mágicos, apressa-te,
impede esse confronto horrendo de teus filhos,
pois o perigo é grande! O preço dessa luta
será terrível. Teu pranto não findará
se a morte arrebatar-te dois filhos agora!

Retira-se o MENSAGEIRO *apressadamente*

JOCASTA

Falando virada para o palácio real

Ah! Minha filha Antígona! Vem para a frente
do palácio real, não para acompanhar
as danças e prazeres das donzelas
— os males que nos ameaçam neste instante,
mandados pelos deuses, nos afastam deles —,
mas porque dois bravos guerreiros, teus irmãos,
estão correndo para a morte. Vem juntar-te
à tua mãe para impedirmos que se matem!

Entra ANTÍGONA, *saindo do palácio*

ANTÍGONA

Que novos males te atormentam, mãe querida,
a ponto de nos alarmares com teus gritos
aqui em frente às portas largas do palácio?

JOCASTA

Está no fim a vida de teus dois irmãos!

ANTÍGONA

Que dizes?

JOCASTA

Haverá um duelo entre eles.

ANTÍGONA

Deuses do céu! Que me anuncias, minha mãe?

JOCASTA

É péssima a notícia. Terás de seguir-me.

ANTÍGONA

Deixando meu quarto de virgem? Até onde?

JOCASTA

Até o campo onde os exércitos se enfrentam.

ANTÍGONA

Coro porque serei vista por tantos homens...

JOCASTA

A hora não é de pensar em tais escrúpulos.

ANTÍGONA

Mas, que farei?

JOCASTA

Terás de reconciliá-los!

ANTÍGONA

Como?

JOCASTA

Caindo de joelhos entre os dois.

ANTÍGONA

Leva-me logo, então, ao campo de batalha.
Vamos sem perda de um minuto, minha mãe!

JOCASTA

Partamos já! Se chegarmos até os dois
antes desse duelo, ainda haverá luz
em minha vida, mas se eles se mataram
cairei morta junto a seus corpos sangrentos!

Saem precipitadamente Jocasta *e* Antígona

Coro

Ai! Ai de nós! Nossos corações tremem,
tremem doídos e até as entranhas
estamos dominadas pelas penas
— sim, pelas penas desta mãe desventurada!
Qual deles irá derramar o sangue
do outro? Ah! Tristeza! Ah! Zeus! Ah! Terra!
Qual deles ensangüentará primeiro
sua lança homicida no pescoço,
no coração de seu irmão? Ah! Deuses!
Somos muito infelizes! Infelizes!
Qual deles veremos sem vida, imóvel,
para banharmos o seu corpo lívido
com nossas lágrimas? Ah! Terra! Ah! Terra!
Como se fosse um animal qualquer
dos mais ferozes, respirando morte,
brandindo a lança um deles em instantes
irá cobrir de sangue um corpo inerte
— cadáver de inimigo! A má idéia
deste duelo lhes será fatal!
Cantaremos chorando, em língua bárbara,
um hino lutuoso, caro aos mortos!
Está chegando o momento fatal
do assassinato! A lança impiedosa
decidirá o futuro dos dois.
Esta carnificina é na verdade
o destino cruel, inominável,
querido pelas Fúrias vingadoras!

Corifeu

Vejo Creonte aproximando-se daqui;
cobre-lhe o rosto o véu sombrio da tristeza[59].
Tenho de interromper minhas lamentações.

Entra Creonte *com o cadáver de* Meneceu *nos braços*

Creonte

Ai! Ai de mim! Que poderei fazer agora?

Minhas sentidas lágrimas devem correr
por mim ou por nossa cidade, hoje envolvida
numa nuvem sombria a ponto de pensarmos
que ela está abismada nas trevas do inferno?
Meu filho pereceu matando-se — coitado! —
por sua pátria, deixando para sempre
um nome glorioso e um pai enlutado.
Venho da caverna escarpada do dragão,
onde, varado por seu gládio, ele tombou,
e o trago — ah, infeliz! — em meus braços cansados...
Ecoarão pelo palácio gritos tristes,
e eu, um velho triste, estou aqui em busca
de minha idosa irmã Jocasta; vim pedir-lhe
que lave e exponha o corpo de meu pobre filho.
Os vivos devem reverenciar os mortos
e prestar homenagens ao sinistro Hades.

CORIFEU

Mas tua irmã, Creonte, deixou o palácio
levando em sua companhia a filha Antígona.

CREONTE

Para onde elas foram e por quê? Responde-me!

CORIFEU

Um mensageiro veio dizer a Jocasta
que seus dois filhos iam disputar o trono
desta cidade num combate singular.

CREONTE

Que ouço? Dedicado a cuidar do cadáver
de Meneceu, não levantei também sequer a hipótese
de que essa desventura também me atingisse!

CORIFEU

A tua irmã saiu daqui há algum tempo,
e penso que o duelo insano e homicida
entre seus filhos já se consumou, senhor.

CREONTE

Ai! Ai de mim! Já adivinho o desenlace
no rosto e no ar sombrio deste mensageiro
que avança pressuroso em nossa direção;
ele vai revelar-nos o acontecimento.

Entra correndo o MENSAGEIRO

MENSAGEIRO

Pobre de mim! Como farei o meu relato?
Que palavras direi a quem me está ouvindo?

CREONTE

Estou aflito. É pouco animador o prólogo...

MENSAGEIRO

Como sou infeliz! Ah! Quantos infortúnios!

CREONTE

Além de nossas desgraças recentes? Fala!

MENSAGEIRO

Já não vêem a luz os filhos de Jocasta!...

CREONTE

Ah! Quanto luto para nós e para Tebas!
Ouves, palácio de Édipo? Os filhos dele
morreram vítimas de um destino cruel!

CORIFEU

Se Édipo ainda tivesse sentimentos
sem dúvida lamentaria esta desgraça.

CREONTE

É muito grande a dor que agora me aniquila!...
Como sou infeliz!... Que infortúnio enorme!...

MENSAGEIRO

Ah! Se pudesses ter uma noção dos males
que se juntam a este para aniquilar-te!...

CREONTE

Que pode ter acontecido de mais triste?

MENSAGEIRO

Tua infeliz irmã morreu com seus dois filhos.

CORIFEU

Dirigindo-se às mulheres do CORO

Gritai! Gritai de dor e golpeai agora
vossas cabeças com vossas mãos muito alvas!

CREONTE

Ah! Infeliz Jocasta! Que fim deplorável
trouxeram a teu casamento e tua vida
os enigmas da Esfinge! Dize, mensageiro:
como ocorreram a morte dos dois irmãos
e a luta imposta pela maldição de Édipo?

MENSAGEIRO

Já te falaram do sucesso que tivemos
diante de nossas defesas; a muralha
não é distante a ponto de impedir que saibas
dos fatos consumados hoje perto delas.
Quando os dois jovens filhos do inditoso Édipo
cobriram-se com suas armaduras brônzeas,
marcharam entre os combatentes dos dois lados

e todos os soldados conseguiram ver,
de pé, ambos os príncipes, ambos os chefes,
cuidando apenas do combate singular.
Primeiro Polinices dirigiu os olhos
para os lados de Argos e fez uma prece:
"Desde que me casei com a filha de Ádrasto
e resido em tua cidade, te pertenço,
divina Hera[60]; agora quero merecer
a graça de poder matar o meu irmão
e de molhar as minhas mãos vitoriosas
no sangue quente de meu pior inimigo!"
Ele pedia à deusa, como recompensa,
sucesso num abominável fratricídio!
Diante daquele espetáculo nefando
corriam muitas lágrimas e se trocavam
olhares tristes. Então se voltou Etéocles
para o templo de Palas do escudo dourado
e por seu turno suplicou: "Filha de Zeus!
Faze com que meu braço mergulhe esta lança
vitoriosa no peito de meu irmão!
Concede-me a graça de exterminar agora
este exilado decidido a destruir
a nossa pátria!" Logo depois se ouviu
o som vibrante de uma trombeta estridente
dando o sinal para o combate singular;
com ímpeto brutal os dois ao mesmo tempo
lançaram-se um contra o outro, ensandecidos.
Como se fossem javalis dos mais ferozes
que aguçam suas longas presas penetrantes,
eles chocaram-se de frente como loucos,
cuspindo espuma; ambos saltaram com as lanças
enquanto protegiam-se com seus escudos,
onde as pontas de ferro batiam em vão;
e quando um deles via os olhos do rival
aparecendo sem a proteção do escudo,
antecipava-se para atingir o outro
em pleno rosto. Os dois irmãos, porém, sabiam
posicionar os olhos cuidadosamente
nos orifícios dos escudos protetores
para neutralizarem os golpes das lanças.
Todos os circunstantes sentiam seus corpos
cobertos de suor, ainda mais, talvez,

que os próprios combatentes, trêmulos e lívidos
por seus amigos engajados no duelo.
Etéocles, tentando afastar uma pedra
que lhe estorvava os pés, deixou, por displicência,
uma das pernas sem a proteção do escudo.
No mesmo instante Polinices avançou
e o atingiu com sua curta lança argiva
na perna exposta. Ouviu-se, então, o grito uníssono
dos muitos filhos de Danaôs antiqüíssimo[61].
Em face daquele perigo o bravo Etéocles,
mesmo ferido, vendo a espádua descoberta
de Polinices, fez um violento esforço
para atingir o corpo de seu adversário
e devolver o ânimo aos filhos de Cadmo,
mas para desespero dele se partiu
a ponta da lança ansiosa por ferir.
Desarvorado, Etéocles voltou atrás,
apanhou uma grande pedra a seu alcance
e com a mesma conseguiu partir ao meio
a lança que estava nas mãos de Polinices.
Assim a luta se tornou equilibrada,
pois ambos já tinham perdido suas lanças.
Então os dois irmãos empunharam espadas,
passando a combater de perto, ferozmente,
escudo contra escudo, um fazendo voltas
em torno do outro, desferindo sem parar
golpes desesperados. Repentinamente
Etéocles lembrou-se de um estratagema
usado pelos téssalos, que ele aprendera
em uma de suas viagens: num instante
ele se desviou do irmão que o pressionava,
recuou com o pé esquerdo e protegeu
a frente de seu corpo; depois avançou
com o pé direito e conseguiu cravar a espada
até o punho no ventre de Polinices,
atravessando-o assim até as vértebras;
o infortunado se curvou sobre si mesmo
e desabou no chão entre jorros de sangue.
Na ilusão de que saíra vencedor
na luta que lhe parecia terminada,
Etéocles lançou ao chão a sua espada,
pensando apenas em despojar o irmão

de suas armas, sem cuidar da própria vida,
alegre por imaginar que se vingara.
Mas a despreocupação foi sua ruína.
Ainda respirando e tendo em suas mãos
a espada que mesmo na queda segurara,
o desgraçado Polinices conseguiu
num derradeiro esforço cravá-la no fígado
de seu irmão Etéocles. Ambos morderam
o chão onde caíram moribundos juntos;
nenhum dos dois ganhou as honras da vitória.

CORIFEU

Ai! Ai de mim! É triste o teu destino, Édipo!
Um deus realizou a tua maldição!

MENSAGEIRO

Agora deves escutar nova desgraça.
Quando jaziam moribundos os irmãos,
Jocasta, a mãe desventurada, apareceu
com sua filha Antígona, apressando o passo.
Ela os viu atingidos por golpes mortais
e disse misturando gritos e gemidos:
"Chego tarde demais para vos socorrer,
meus filhos!" E entre soluços se lançava
e lastimava-se, ora sobre o primeiro,
ora sobre o segundo de seus pobres filhos,
e lamentava-se pensando em seus cuidados
e em seu carinho quando os dois eram crianças,
enquanto ao lado Antígona, desesperada,
gritava: "Ah! Irmãos queridos, sustentáculos
da velhice materna! Abandonais-me agora,
sozinha e sem esposo!" No momento extremo
de se entregar enfim à morte, o rei Etéocles
pareceu escutar a voz de sua mãe
e lhe estendeu uma das mãos desfalecentes,
mas lhe faltaram forças e nada falou;
seus olhos, entretanto, ainda se expressavam
em meio às lágrimas, repletos de ternura.
Já quase morto Polinices conseguiu
abrir os olhos, dirigindo-se primeiro

à sua irmã e logo após à velha mãe
e lhes falou: "Estou morrendo, minha mãe...
Tenho pena de ti e também sinto pena
de minha irmã e até de meu irmão que morre,
pois apesar de nossa amizade fraterna
haver-se transformado em inaudito ódio,
ele não era menos meu irmão por isso.
Ah! Minha mãe, e tu, irmã!... Rogo, suplico-vos!...
Desejo que me sepulteis no chão da pátria
e apazigüeis minha cidade revoltada!...
Seja-me concedido ao menos um pedaço
da terra onde nasci e onde está o trono
de nossos ancestrais, perdido para sempre!...
Que tuas mãos cerrem meus olhos, minha mãe..."
O próprio Polinices levou-as às pálpebras
e concluiu: "Agora, adeus... Já me recobre
a escuridão da morte..." E ambos terminaram
ao mesmo tempo sua vida lamentável.
Diante daquele espetáculo funéreo
Jocasta praticou um ato indescritível,
vencida por um desespero desmedido:
tirou a espada curta de um dos dois cadáveres,
cravou-a toda em seu pescoço e desabou
inanimada entre os dois filhos já sem vida,
cingindo ambos ternamente com seus braços.
No mesmo instante começou entre os exércitos
uma querela violenta; nós, tebanos,
dizíamos que nosso rei venceu a luta
e eles que a vitória coube a Polinices.
Os comandantes dos dois lados divergiam,
uns afirmando que fora de Polinices
o golpe inicial de lança, enquanto os outros
argumentavam que nenhum dos dois vencera
porque ambos naquela hora estavam mortos.
Antígona se retirou furtivamente
para evitar promiscuidade com os soldados,
enquanto eles retomavam suas armas.
Por sorte havíamos tomado a precaução
de nos mantermos firmes em nossos lugares,
portando cada um no braço o seu escudo.
Antecipando-nos a qualquer reação,
lançamo-nos sobre os argivos descuidados

antes de eles poderem aprontar as armas.
Não houve quase resistência contra nós;
todos fugiram e logo se dispersaram
pela planície; já víamos correrem
rios de sangue de milhares de inimigos
abatidos em massa pelas nossas lanças.
Vencemos a batalha; alguns de nossos homens
ergueram a Zeus das derrotas um troféu;
outros cuidaram de tirar todas as armas
dos corpos dos argivos mortos e levá-las
altivamente para dentro das muralhas;
outros, enfim, seguindo Antígona, tratavam
de remover os nossos numerosos mortos
para que seus amigos pudessem chorá-los.
Para a cidade este foi o desenlace
ao mesmo tempo glorioso e lastimável
desta luta implacável entre dois irmãos.

Sai o Mensageiro

CORIFEU

Hoje não é apenas por ouvir dizer
que conhecemos as desditas desta casa.
Vejo soldados transportando três cadáveres;
ei-los chegando à frente do real palácio,
vítimas lamentáveis de morte conjunta
encaminhando-se para o reino das trevas,
destino inevitável de quem perde a vida.

Entra o cortejo fúnebre acompanhando os cadáveres de Jocasta, de Polinices e de Etéocles. Vestindo uma túnica cor de açafrão, Antígona entra precipitadamente em cena, como se delirasse

ANTÍGONA[62]

Sem tentar recobrir com véu diáfano
meu rosto delicado envolto em sombras
por meus claros cabelos cacheados,
sem que meu virginal pudor se afete
com o rubor que sob as minhas pálpebras
dá esta cor vermelha à minha face,

avanço como bacante dos mortos
lançando longe da cabeça os laços
e deixando voar a minha túnica
finíssima tingida de açafrão,
para levar até onde quiser
o fúnebre cortejo. Ai de mim!
Ah! Polinices! Quem te deu o nome[63]
estava certo! Ai de mim! Ai! Tebas!
Tua querela — não, não foi querela
e sim a sucessão de tantas mortes! —
transforma em ruínas o palácio de Édipo,
chegando ao fim em torrentes de sangue,
inevitáveis, avassaladoras!
Que litania de chorosas vozes,
que hino de queixumes dolorosos
— sim, dolorosos! — posso desejar
para me acompanhar — ai, meu palácio! —
quando precedo estes três cadáveres
de um mesmo sangue — sim, a mãe e os filhos! —
para alegrar as Fúrias vingadoras?
Por elas foi extinta a casa de Édipo
no dia em que ele soube decifrar
o enigma até então indecifrável,
causando a morte do monstro cruel.
Ai! Ai de mim! Meu pai! Quem, grego ou bárbaro,
quem, entre os homens dos tempos passados,
ilustre por seu próprio nascimento,
sofreu tamanhos golpes dolorosos,
tantas calamidades tão visíveis?
Pobre de mim! Quantas lamentações
modula minha voz! Que triste ave,
pousada nas alturas de um carvalho
ou de um pinheiro, mãe desapossada
de seus filhotes, junta seus queixumes
aos meus em canto uníssono de dor?
É o hino lúgubre de meus lamentos,
de meus soluços, num triste prelúdio
à vida solitária que me espera
entre torrentes de sentidas lágrimas!
Quem chorarei primeiro? Sobre quem
irei depor, então, como primícias,
os meus cabelos a custo arrancados?

Sobre minha muito querida mãe,
perto dos seios que me amamentaram,
ou sobre os corpos de meus dois irmãos
desfigurados por mortais feridas?
Ai! Ai de mim! Sai já de teu palácio,
meu pai! Traze até mim teus olhos cegos,
mostra sem pejo, envelhecido Édipo,
as marcas dos males de tua vida,
tu, que, no interior de teu refúgio,
nas trevas absolutas espalhadas
sobre teus olhos, terás de viver
todos os dias de tua existência!
Ouves-me, tu, que arrastas ao acaso
pelo palácio teus membros gelados
por causa da velhice ou, ao contrário,
estás deitado em teu leito de dor?

Aparece na porta do palácio ÉDIPO, *já velho, apoiado em seu bastão*

ÉDIPO

Ah! Minha filha! Por que me compeles
a caminhar, firmando num bastão
os meus passos de cego? Estás tirando
de seu leito de dor com tuas lágrimas
um pobre velho de cabelos brancos
soltos ao vento, apenas um fantasma,
um morto em outro mundo, um sonho efêmero.

ANTÍGONA

Terás de ouvir uma notícia triste:
morreram ambos os teus filhos, pai,
e também tua piedosa esposa,
que sempre vigilante e carinhosa
guiava com amor teus passos cegos,
seguindo-te perto de teu bordão.

ÉDIPO

Ai! Ai de mim por meus males infindos!

Já não tenho razões suficientes
para gemer, para me lamentar?
Como, por que dilacerantes golpes
da sorte adversa, como — reitero —
essas três criaturas de meu sangue
perderam suas vidas? Fala, filha!

ANTÍGONA

Contar-te-ei sem recriminações
nem ironia amarga — ao contrário,
com uma dor profunda, pai querido —;
foi teu cruel demônio vingador[64]
que desencadeou sobre teus filhos
o ferro, o fogo e as lutas sangrentas,
constantes companhias deles dois.

ÉDIPO

Ai! Ai de mim!

ANTÍGONA

Por que estes gemidos?

ÉDIPO

Ai de meus filhos tão desventurados!

ANTÍGONA

Teu sofrimento seria maior
se teus olhos inda pudessem ver
a quadriga do sol e sua luz
e contemplassem os corpos sem vida.

ÉDIPO

São óbvias as razões dos infortúnios
de meus dois filhos, mas, quanto a Jocasta,
desejo que me digas, minha filha:
que golpe do destino a destruiu?

ANTÍGONA

Gemendo e soluçando ela avançou
além das portas da cidade e, suplicante,
queria mostrar aos filhos os seios
que também pareciam implorar.
Em frente à porta Electra ela encontrou
Etéocles e Polinices, ambos
no prado em flor brandindo suas lanças;
os dois lutavam num duelo horrível,
cobertos de feridas que sangravam,
como se fossem feras nas cavernas;
pouco tempo depois eles caíram,
feridos mortalmente, oferecendo
à terra farta libação de morte
feita por Ares, dedicada a Hades.
Ela arrancou de um dos agonizantes
uma espada de bronze e a enterrou
em sua própria carne; inconsolável
com a morte dos dois filhos, a infeliz
caiu sem vida ao lado dos cadáveres.
Quantas desditas, pai, amontoou
naquela hora sobre nossa casa
a divindade autora desta obra!

CORIFEU

Quantos males aconteceram num só dia
nesta avalanche sobre o palácio de Édipo!
Queiram os céus que a sorte desde este momento
se mostre mais benévola aos sobreviventes!

Entra CREONTE

CREONTE

Já houve aqui lamentações suficientes.
É hora de pensarmos só nos funerais.
Tu, triste Édipo, ouve bem minhas palavras.
Teu filho Etéocles me transmitiu em vida
o trono desta terra e concedeu a Hêmon
o dote nupcial, dando-lhe como esposa

a tua filha Antígona. Quanto a ti mesmo,
não poderás continuar aqui em Tebas,
pois o velho Tirésias disse claramente:
enquanto estiveres aqui nossa cidade
não será próspera; terás de ir embora.
Esta linguagem, Édipo, não é ditada
nem por inimizade nem por prepotência;
os gênios maus, que nunca se afastam de ti,
me levam a temer pela sorte da pátria.

ÉDIPO

Destino meu! Quantas desditas me impuseste
desde minhas origens, fazendo de mim
o mais infortunado de todos os homens!
As entranhas maternas inda não me haviam
posto no mundo; eu mesmo — ai, pobre de mim! —
inda não fora concebido quando Apolo
predisse a Laio que eu estava destinado
a ser um parricida. Logo após o parto
o autor de minha vida quis que me matassem
pois via em mim um inimigo, já que os fados
marcaram-no para morrer em minhas mãos.
Ele entregou-me a um de seus servos fiéis,
recém-nascido e soluçando por um seio,
para ser devorado por feras nos bosques,
mas alguém me salvou. Antes as divindades
houvessem resolvido que o monte Citéron
sumisse nos abismos profundos do Tártaro!
Mas elas decidiram minha salvação
e os céus me condenaram a ser adotado
no palácio de um rei — de Pôlibo. Mais tarde
matei meu pai sem ter noção de quem feria,
e partilhei o leito de sua mulher
sem saber que ela era minha própria mãe!...
Engendrei vários filhos (e também irmãos)
e fui o causador da morte de dois deles,
colhidos pela maldição vinda de Laio
e transmitida a eles. Sem dúvida alguma
eu não teria sido tresloucado a ponto
de maquinar sem a vontade de algum deus
tais atentados contra mim, contra meus olhos

e contra a vida de meus filhos. Neste instante,
que deverei fazer? Quem poderá guiar
meus pés de cego? Esta infeliz há pouco morta?
Tenho certeza de que, se estivesse viva,
ela o faria. E meus dois formosos filhos?
Eles já não existem!... Sou bastante jovem
para cuidar de mim? Seria impossível!
E tu, Creonte, ages como um assassino,
pois expulsando-me daqui me matarás!
Mas não importa! Nunca me rebaixarei
para abraçar os teus joelhos[65], suplicante
como qualquer covarde! Nunca trairei
minha altivez antiga, mesmo na miséria!

CREONTE

Procedes bem não abraçando meus joelhos,
pois não consentirei em te deixar aqui.

Apontando para os três cadáveres no chão

Quanto a estes cadáveres, está na hora
de remover dois deles para meu palácio.
Mas este aqui (refiro-me ao de Polinices,
que se juntou a numerosos estrangeiros
para vir saquear a pátria de seus pais),
lançai-o sem as cerimônias costumeiras
e sem ser sepultado, fora dos limites
de nosso território. Faça-se aos cadmeus,
a todos eles, a proclamação seguinte:
"Qualquer pessoa encontrada coroando
este cadáver ou lhe dando sepultura,
receberá a morte pela rebeldia.
Ele terá de ser deixado sobre a terra
sem lágrimas e sem as cerimônias fúnebres,
para servir de pasto às aves carniceiras."
E tu, Antígona, pára de lamentar-te
diante destes três defuntos; silencia!
Retorna logo aos aposentos das donzelas
no palácio real e aguarda como deves
o dia e hora de subir ao leito de Hêmon.

ANTÍGONA

Dirigindo-se a ÉDIPO

A que males me lançam desumanamente,
meu pai! Choro por ti, e não pelos cadáveres!
Todas as desventuras caem sobre ti!
Nasceste para ser infortunado, Édipo!

Dirigindo-se a CREONTE

Mas é a ti, o nosso novo soberano,
que me dirijo agora. Que razões te levam
a ultrajar meu pai com a pena de expulsão,
e qual o objetivo desta lei que forjas
para privar um morto de homenagens fúnebres?

CREONTE

Esta sentença não foi minha; foi de Etéocles.

ANTÍGONA

É insensato este desígnio! Tu, Creonte,
que insistes em impô-lo, mostras-te demente!

CREONTE

Que dizes? Não é justo obedecer a ordens?

ANTÍGONA

De forma alguma, se há crueldade nelas
e se são formuladas arbitrariamente.

CREONTE

Não é justo entregar aos cães este cadáver?

ANTÍGONA

Fazer justiça assim é uma iniqüidade!

CREONTE

Mas Polinices foi inimigo de Tebas
e deve ser tratado como os inimigos.

ANTÍGONA

Seu destino cruel foi uma expiação.

CREONTE

Ele sofrerá outra não sendo enterrado.

ANTÍGONA

Qual foi seu crime? Pleitear o que era dele?

CREONTE

Fica sabendo: ele não terá sepultura!

ANTÍGONA

Eu o sepultarei, apesar do interdito!

CREONTE

Então te enterrarei com ele e perto dele!

ANTÍGONA

É glorioso para dois grandes amigos
ter o repouso eterno juntos como em vida!

CREONTE

Dirigindo-se à sua escolta

Prendei-a e levai-a ao palácio, guardas!

ANTÍGONA

Agarrando-se ao cadáver de POLINICES

Não! Nunca me separarei deste cadáver!

CREONTE

É contra ti, donzela, o decreto divino!

ANTÍGONA

Não ultrajar os mortos é outro decreto!

CREONTE

Ninguém ouse cobri-lo com a terra úmida!

ANTÍGONA

Peço-te por Jocasta, minha mãe, Creonte!

CREONTE

Perdes teu tempo! Não me persuadirás!

ANTÍGONA

Deixa-me, então, lavar o morto. É uma súplica!

CREONTE

Falas de atos interditos aos tebanos.

ANTÍGONA

Permite-me limpar seus muitos ferimentos!

CREONTE

Tampouco ele merecerá essa atenção!

ANTÍGONA

Dirigindo-se ao cadáver de POLINICES

Ao menos beijarei teus lábios, meu irmão!

CREONTE

Tais sentimentos podem afetar as núpcias!

ANTÍGONA

Pensas que viverei para casar com Hêmon?

CREONTE

Tens de casar! Não fugirás ao matrimônio!

ANTÍGONA

Pois minhas bodas serão como as das Danaides[66]!

CREONTE

Dirigindo-se a ÉDIPO

Vês até onde vai sua arrogância audaz?

ANTÍGONA

Juro pelo ferro da espada do defunto!

CREONTE

Por que tentas livrar-te assim de tuas núpcias?

ANTÍGONA

Para seguir meu pobre pai em seu exílio.

CREONTE

É nobre tua idéia, porém temerária.

ANTÍGONA

E digo mais: desejo perecer com ele.

CREONTE

Não matarás meu filho. Vai! Deixa esta terra!

CREONTE entra no palácio com seu séquito

ÉDIPO

Ah! Minha filha! Teu devotamento é grande!

ANTÍGONA

Devo casar-me e te deixar partir sozinho?

ÉDIPO

Fica feliz aqui; aceito meu destino.

ANTÍGONA

Quem cuidará de ti, meu pai, já velho e cego?

ÉDIPO

Caindo onde quiser a sorte, morrerei.

ANTÍGONA

A que ponto chegaram Édipo e o enigma
que há muitos anos lhe trouxe poder e glória!...

ÉDIPO

Já não existe Édipo; um mesmo dia
trouxe-me a fama e me levou à perdição!...

ANTÍGONA

Não deverei participar de tuas penas?

ÉDIPO

É vergonhoso para ti, uma donzela,
acompanhar no amargo exílio teu pai cego.

ANTÍGONA

Se ela for casta, isso até lhe trará glória.

ÉDIPO

Guia-me, então, para que eu possa pôr as mãos
no corpo amado de Jocasta, tua mãe.

ANTÍGONA

Guiando ÉDIPO *até o cadáver de* JOCASTA

Estás bem perto dela, pai; agora afaga
com as mãos envelhecidas seu corpo querido.

ÉDIPO

Ah! Mãe... Ah! Companheira infortunada!...

ANTÍGONA

Tristes restos mortais! Como sofreste, mãe!

ÉDIPO

E os corpos de meus filhos, onde estão, Antígona?

ANTÍGONA

Estão à tua frente, postos lado a lado.

ÉDIPO

Põe minhas mãos de cego sobre seus cadáveres.

ANTÍGONA

Ei-los aqui; toca logo com as mãos nos filhos.

ÉDIPO

Restos mortais de criaturas tão queridas,
filhos muito infelizes de um pai infeliz!

ANTÍGONA

Penso em teu nome com carinho, Polinices...

ÉDIPO

Consuma-se o oráculo de Apolo, filha!...

ANTÍGONA

Qual deles? Vais falar de novas desventuras?

ÉDIPO

Errante, irei morrer em solo ateniense.

ANTÍGONA

Em que lugar? Que asilo encontrarás na Ática?

ÉDIPO

No povoado sacrossanto de Colono,
morada do deus cavaleiro[67]. Mas partamos!
É hora de ajudar teu pai idoso e cego,
pois decidiste partilhar o seu exílio.

ANTÍGONA[68]

Começa agora a longa caminhada
para o desterro e suas provações.
Estende-me tua querida mão,
meu velho pai, para que eu te conduza
como a suave brisa leva a nau.

ÉDIPO estende a mão a ANTÍGONA

ÉDIPO

Eis-me enfim a caminho, filha amada.
Serás meu guia, infortunada Antígona!

ANTÍGONA

Existirá uma virgem tebana,
uma sequer, mais infeliz que eu?

ÉDIPO

Onde porei meus pés irresolutos?
Passa-me o meu bastão, querida filha.

ANTÍGONA

Aqui... Aqui... Tenta seguir-me! Ali!
Move teus débeis pés como num sonho...

ÉDIPO

Ai! Ai de mim! Ah! Exílio cruel!
Expulsam-me da pátria, a mim, um velho!
Ai! Ai de mim! Por que sou condenado
a tantas e tão grandes provações?

ANTÍGONA

Por que falas de provações, meu pai?
Por quê? A justiça não vê os maus
e não castiga os erros dos mortais.

ÉDIPO

Eis onde estou, depois de me elevar
ao ápice de um saber triunfante
quando consegui decifrar o enigma
quase insolúvel da virgem divina!...

ANTÍGONA

Evocas as humilhações da Esfinge.
Deves manter distantes de teus lábios
os acontecimentos de outros tempos.
Ainda te aguardava um infortúnio:
ser exilado de tua cidade

para morrer em um lugar estranho.
Deixando para minhas companheiras
apenas muitas lágrimas sentidas,
parto contigo para outras terras
distantes de nossa querida pátria
para levar uma existência errante,
indigna de uma virgem como eu!

ÉDIPO

Tua nobreza de alma é grande, filha!

ANTÍGONA

Prende-se a minha glória aos sofrimentos
de um pai desventurado. Ah! Infeliz!
Choro pelas humilhações sofridas
por ti e pelo meu irmão querido,
cadáver insepulto para sempre!
Mas ainda que tenha de morrer
hei de enterrá-lo, eu mesma e em segredo!

ÉDIPO

Despede-te de tuas companheiras...

ANTÍGONA

Bastam-nos nossas próprias desventuras.

ÉDIPO

... e faze tuas preces nos altares.

ANTÍGONA

Os deuses têm ciência de meus males.

ÉDIPO

Ao menos corre até os altos montes;
vai ao encontro do divino Brômio[69]
em seu sacrário oculto nas escarpas.

ANTÍGONA

De Brômio, em intenção de quem
eu celebrava com as danças próprias,
vestida de peles de corças lépidas,
a festa em homenagem a Semele
lá nas montanhas? Ah! Meu pai! Os deuses
não premiaram minha devoção!

ÉDIPO

Vede concidadãos ilustres, este Édipo
que decifrou, só ele, os famosos enigmas
e foi considerado um homem sem igual!
Eu, sim, que destruí sozinho a prepotência
da homicida Esfinge, sou destituído
das honrarias com que me homenagearam
e expulso impiedosamente desta terra!
Mas não devo chorar agora inutilmente
a minha sorte lastimável; um mortal
tem de acatar com paciência as leis dos deuses!

Saem ÉDIPO e ANTÍGONA

CORO

Vitória excelsa! Sê a companheira
de nossa vida e sempre a enobreças!

FIM

NOTAS ÀS *FENÍCIAS*

1. Cípris: um dos epítetos de Afrodite, a deusa do amor, numa alusão ao nascimento da deusa na ilha de Chipre.

2. Febo: um dos epítetos de Apolo, significando "luminoso".

3. Citéron: montanha situada nos arredores de Tebas.

4. Hera: mulher de Zeus, o deus maior da mitologia grega, e deusa padroeira de Argos.

5. Em grego, *Oidípous* significa "pés inchados".

5a. Pôlibo: rei de Corinto, que criou Édipo quando este, recém-nascido, foi abandonado no Citéron.

6. O templo de Apolo em Delfos, onde o deus tinha o seu oráculo.

7. Fócida: região da Grécia onde se situava a cidade de Delfos.

7a. A Esfinge era um monstro com corpo de leoa, cabeça de mulher e asas de ave de rapina; logo abaixo ela é chamada de "virgem sutil" por causa de seus enigmas.

8. Ismeno: rio próximo a Tebas.

9. Fonte de Dirce: um manancial situado nas proximidades do rio Ismeno.

10. Argivos: literalmente "Pêlasgos"; o rei lendário Pêlasgo deu seu nome aos argivos.

11. "Hecate" e "Leto": Hecate, inicialmente uma deusa benfazeja, associada mais tarde às práticas mágicas, às trevas da noite e ao mundo dos mortos. Leto era a mãe de Apolo e Ártemis, possuída por Zeus.

12. Anfíon foi um antigo rei de Tebas, como seu irmão gêmeo Zeto, filho de Zeus e de Antíope; foi também um músico famoso.

12a. Aqui começa a descrição dos sete chefes que lutaram contra Tebas.

13. Ártemis, filha de Zeus e de Leto, era a deusa da caça e da vida selvagem.

14. Ádrasto era o rei de Argos.

15. Selene: a lua divinizada.

16. Nêmesis: a divindade que castigava o orgulho desmedido e a arrogância dos mortais.

17. Poseidon: o deus do mar e das águas em geral. Lerna é um lago perto de Argos, e o nome da região onde ele fica situado.

18 Amimone foi uma mortal amada por Poseidon. O deus fez jorrar uma fonte em Lerna, região árida, com seu tridente, e a fonte recebeu o nome de sua amada.

19. Versos como estes alimentavam a aversão das atenienses por Eurípides, conhecido por sua misoginia.

20. Loxias: um dos epítetos de Apolo, significando "oblíquo", numa alusão à obscuridade dos oráculos. Para Febo, veja-se a nota 2.

21. Ondas tírias: de Tiro, antiqüíssima cidade da Fenícia fundada pelos sidônios numa pequena ilha próxima ao litoral.

22. Parnasso: montanha situada na Fócida, que domina a cidade de Corinto.

23. Zéfiro: um dos ventos predominantes no Mediterrâneo, divinizado pelos deuses.

24. Terra dos cadmeus: Tebas. Os cadmeus eram descendentes de Cadmo, também fenício e fundador de Tebas.

25. Agenor: rei lendário da Síria, antepassado comum dos fenícios e dos tebanos, pai de Cadmo e de Fênix (este último deu o nome à Fenícia).

26. Castália: fonte situada perto do templo de Apolo em Delfos.

27. Diôniso era o deus do vinho e de seus efeitos, e das festas delirantes animadas pelas Bacantes.

28. O dragão lendário chamado Píton ou Delfínis, morto por Apolo.

29. A ilha de Delfos, onde ficava o templo de Apolo, era considerada o centro do mundo, e portanto seu "umbigo."

30. Ares: o deus da guerra e das mortes violentas em geral.

31. Io: uma mortal amada por Zeus e perseguida por Hera.

32. Erínias: divindades vingadoras dos crimes contra consangüíneos (as Fúrias dos latinos).

32a. Pêlasgos: os habitantes mais antigos de Argos.

33. O "velho cego" é Édipo. Nos versos anteriores a repetição "brancos... brancos" está no original.

34. Veja-se a nota 8.

34a. Nos versos 1275 e seguintes de nossa tradução da *Ifigênia em Áulis* há uma reflexão semelhante a esta.

34b. As mulheres cortavam os cabelos rentes e usavam roupas pretas em sinal de luto.

34c. "Um deus": a alusão é a Apolo, a cujo oráculo Laio desobedeceu.

35. O "filho de Talau" é Ádrasto.

36. Micênios: habitantes da cidade de Micenas, cidade da Argólida, próxima a Argos (os habitantes de Argos eram chamados de argivos).

37. As Górgonas eram monstros horríveis, cuja simples visão petrificava os homens.

37a. Quando diz "dele", Polinices aponta para Etéocles.

37b. Este "discurso" de Etéocles espelha a atitude cética e realista dos sofistas professores de Eurípides, e tem uma certa dose de maquiavelismo antes de Maquiavel.

38. Segundo Cícero (*Dos Deveres*, III, 82), estes versos de Eurípides seriam a máxima favorita de Júlio César, que os citava freqüentemente.

38a. Veja-se a nota 17.

38b. Veja-se a nota 32.

39. Polinices (*Polyneikes*) origina-se de *poly* (muito) e *neikos* (querela, discórdia).

40. Cadmo, o tírio: Cadmo veio de Tiro, na Fenícia, para a Grécia, onde fundou Tebas.

41. Aônia era o nome primitivo da Beócia.

42. Brômio: um dos nomes de Diôniso, significando "retumbante" ou "frémente". A "mãe", logo abaixo, é Semele.

43. Palas: nome alternativo de Atena.

44. Deusas de nome duplo: Perséfone, deusa das profundezas infernais e mulher de Hades, chamada também de Core, e Deméter, a deusa da terra fecunda e mãe de Perséfone, chamada também de Gé (Terra).

45. Labdácidas: descendentes de Lábdaco, antigo rei de Tebas, sucedido no trono por Laio, pai de Édipo.

46. Hades: o deus supremo das regiões infernais para onde iam os mortos; Hades é também o nome dessas regiões.

47. Harmonia: núpcias de Harmonia e de Cadmo, às quais compareceram todos os deuses e deusas; Anfíon, logo abaixo, era um músico lendário, filho de Zeus e de Antíope.

48. A "terra de Erecteu" era Atenas. Eumolpo era rei de Elêusis, pequena cidade próxima a Atenas.

49. Os "descendentes de Cêcrops" eram os atenienses.

50. Os "filhos de Danaôs" eram os argivos atacantes de Tebas. Danaôs era filho de Belo, rei do Egito, que fugiu de seu país para a Grécia com suas cinqüenta filhas.

51. Os Espartos eram os guerreiros nascidos dos dentes do dragão, semeados no solo de Tebas, dos quais provém a raça dos tebanos.

51a. O oráculo de Apolo situava-se em Delfos.

52. A Tesprotia era uma região situada no Épiro, onde também ficava a cidade de Dodona. O "deus de Dodona" era o próprio Zeus, cultuado num templo local onde havia um oráculo famoso.

52a. A repetição "perdoar... perdão", como muitas outras na peça, está no original.

53. A "criatura alada, filha de Êquidna", era a Esfinge. Êquidna era um dos numerosos monstros oriundos de Gaia, ou Gé (a Terra), parte mulher e parte serpente. Para a Esfinge, tantas vezes mencionada na peça, veja-se a introdução à nossa tradução do *Édipo Rei* de Sófocles, publicada pela mesma Editora na "Trilogia Tebana".

54. Veja-se a nota anterior.

54a. O "velho cego" era Édipo.

55. Têumeso é uma montanha da Beócia, próxima a Tebas.

55a. Atalante, uma corredora mais veloz que os homens, era a mãe de Partenopeu. As "vítimas" mencionadas a seguir eram os animais destinados a sacrifícios nos altares.

56. Argos era um descendente de Zeus e de Níobe, cheio de olhos espalhados por todo o corpo. Para os numerosos nomes constantes desta descrição, veja-se o *Dicionário de Mitologia Grega e Romana* publicado por esta mesma Editora.

57. A Hidra era uma serpente monstruosa com cem cabeças.

58. A "filha de Mênalo" era Atalante.

58a. O benefício seria a reconciliação dos dois irmãos.

59. Esta é uma das metáforas mais expressivas de Eurípides.

60. Hera: mulher legítima de Zeus e protetora de Argos.

61. Veja-se a nota 50.

62. As mudanças de metro até a entrada do Corifeu e de Creonte, constantes do original, acentuam o tom patético dos trechos em que elas ocorrem.

63. Veja-se a nota 39.

64. O "demônio vingador": o gênio vingador que a maldição de Édipo lançou contra seus filhos.

65. Abraçar os joelhos de alguém era um ato de súplica.

66. As cinqüenta Danaides (filhas de Danaôs), à exceção de uma, assassinaram os respectivos maridos na noite de núpcias.

67. O deus cavaleiro era Poseidon, considerado o criador dos cavalos e seu domador.

68. Aqui ocorre nova mudança de metro no original, que seguimos na tradução.

69. Veja-se a nota 42.

As Bacantes

Época da ação: idade heróica da Grécia.
Local: Tebas.
Primeira representação: provavelmente em 405 a.C., na Macedônia.

PERSONAGENS

O deus DIÔNISO.
CORO das BACANTES.
TIRÉSIAS, adivinho.
CADMO, fundador e antigo rei de Tebas.
PENTEU, rei de Tebas na época da ação.
GUARDA de Penteu.
1º MENSAGEIRO.
2º MENSAGEIRO.
AGAVE, mãe de Penteu.

Cenário

Ao fundo o palácio real de Tebas. Vêem-se alguns escombros diante do palácio, no meio dos quais destaca-se o túmulo de Semele, mãe de DIÔNISO *e irmã de* AGAVE. *Entra em cena* DIÔNISO, *cuja condição divina ainda é ignorada até por seus fiéis; o deus está disfarçado em Bacante e vai até o túmulo de Semele, diante do qual permanece reverentemente.*

DIÔNISO

Estou aqui, chegando à terra dos tebanos,
eu, o próprio Diôniso, filho de Zeus,
que há muitos anos a filha do antigo Cadmo,
Semele, trouxe ao mundo graças ao fulgor
de um divino relâmpago vindo das nuvens.
Tomei a forma humana para freqüentar
as nascentes de Dirce e as águas do Ismeno.
Já posso ver junto ao palácio a sepultura
de minha mãe — pobre Semele! — fulminada
por um raio e as ruínas de sua morada
ainda fumegantes do fogo de Zeus,
testemunho perene da vingança de Hera
e um violento insulto à minha amada mãe.
É meu dever também agradecer a Cadmo
por haver feito deste solo, inviolável
aos passos dos mortais, o altar de sua filha,
que vim cercar de videiras cheias de uvas.
Cruzei a Lídia[1] e sua terra aurífera
e as planícies da Frígia e viajei
para os ensolarados planaltos da Pérsia,
e a Bactriana[2] com suas muitas cidades
bem defendidas por muralhas altaneiras,
e a Média, gelada durante o inverno,
e até o extremo da Arábia Feliz,
e toda a Ásia, enfim, cujo limite
são as ondas salgadas, com suas cidades

cercadas por belas muralhas, onde os gregos
se misturaram com diversas raças bárbaras.
A primeira cidade grega que visito
é esta aqui. Em muitas regiões distantes
organizei meus coros, implantei meus ritos,
para manifestar-me aos homens como um deus.
A minha preferida entre as cidades gregas
é Tebas, onde já se ouviram meus clamores.
As mulheres tebanas, mais fiéis a mim,
já se dispõem a vestir peles de corças,
e pus em suas mãos o tirso, este dardo
ornado com ramos de hera sempre verdes.
De fato, as irmãs de minha querida mãe,
que em primeiro lugar deveriam poupar-me
de tal insulto, declararam que eu, Dióniso,
não sou filho do grande Zeus e que Semele,
ludibriada por um amante mortal
e mal aconselhada pelo próprio Cadmo,
havia atribuído seu pecado ao deus.
Em altos brados elas proclamavam que,
se Zeus a fulminou, foi para castigá-la
por ter tido a idéia de vangloriar-se
de amores com um deus. Por isso compeli
todas as mulheres de Tebas a deixarem
seus lares sob o aguilhão de meu delírio.
E agora, vítimas da mente transtornada,
elas passaram a morar nos altos montes,
usando apenas a roupagem orgiástica.
Longe de suas casas e como dementes,
elas misturam-se com as filhas de Cadmo
em cima dos rochedos e sob os pinheiros
perenemente verdes. Mesmo constrangida,
esta cidade terá de reconhecer
a grande falta que lhe fazem minhas danças
e meus mistérios, para que eu possa vingar
a honra de Semele, minha amada mãe,
aparecendo aqui a todos os mortais
como o deus que ela um dia concebeu e teve,
depois de unir-se a Zeus. E Cadmo transmitiu
suas reais prerrogativas a Penteu,
filho de sua filha, que faz contra mim
guerra constante à minha condição divina.

Ele sempre me exclui de suas libações
e nunca diz meu santo nome em suas preces.
Mas poderei provar-lhe e provar aos tebanos
que fui realmente gerado por um deus.
Depois de acertar tudo como quero aqui,
dirigirei meus passos a outros lugares
e me darei a conhecer em toda parte.
Mas se a cidade dos tebanos, tresloucada,
tentar trazer do cume dos montes mais altos
minhas Bacantes recorrendo à força bruta
e às armas, então marcharei com minhas tropas
de Mênades enfurecidas contra Tebas.
Com esta intenção apareci aqui
como se fosse um dos mortais e transformei
em corpo humano minha condição divina.
Vamos, vós, que preferistes deixar o Tmolo[3],
a muralha da Lídia, vós, componentes
de meu cortejo, minhas queridas mulheres
que me acompanham sempre desde as terras bárbaras,
vós todas que morais e caminhais comigo,
vós que agitais os tamborins feitos na Frígia
(uma invenção de Réa, a Grande Mãe, e minha).
Vinde e ficai junto ao palácio de Penteu,
tocando-os para atrair sobre vós mesmas
a curiosidade de Tebas Cadméia,
enquanto, sempre ao lado de nossas Bacantes,
conduzirei seus coros até o sopé
do altíssimo Citéron[4], onde ficaremos.

Sai DIONISO. *Entra o* CORO, *constituído de Bacantes, com serpentes em volta do corpo, coroadas de ramos de hera, agitando os tirsos e tocando os tamborins e flautas, e dançando*

CORO

Viemos apressadas lá da Ásia
e do sagrado Tmolo — doce esforço
gostoso de sofrer, pois é por Brômio.
Cantamos Báquio com nossos gritos[5]
de Evoé[5a]. Quem vai andando aí?
Quem está em nosso caminho? Afaste-se!
Seja quem for, mantenha-se em silêncio

religioso! Obedecendo aos ritos,
glorifiquemos nosso deus, Diôniso!
Feliz é o mortal que, consciente
da divindade de nossos mistérios,
santificando sempre sua vida,
sente que tem a alma de um devoto,
e na montanha, entregue às bacanais,
celebra, depois de purificado
como se fosse um santo, a sacra orgia
da Grande Mãe Cibele, e enquanto o tirso
se enfeita com o diadema de hera
para servir apenas a Diôniso!
Vamos, Bacantes! Vamos! Celebrai!
Tu, Brômio, deus e filho de deus,
desce, Diôniso, dos altos montes
da Frígia distante para cá,
para as cidades gregas onde os coros
te acolhem com total intimidade!
Vem logo, Brômio, tu, que nos transes
das dores naturais durante o parto,
quando caiu o raio fulminante
vindo de Zeus, saíste antes do tempo
do ventre de Semele, tua mãe,
pois ela, em sua infelicidade,
perdeu a vida transformada em cinzas!
Naquele instante Zeus, filho de Cronos,
proporcionou-te um abrigo seguro
de onde nascerias: ele mesmo
te pôs num talho feito em tua coxa
valendo-se de grampos feitos de ouro
e te escondeu da ciumenta Hera.
Quando chegou a hora prefixada
pelo destino, Zeus te deu à luz,
a ti, um deus cornudo como os touros.
Ele te trouxe uma coroa estranha,
composta de serpentes, e depois
as Mênades, muito amigas das feras
puseram entre seus longos cabelos
cheios de cachos serpentes iguais.
Ah! Tebas! Tu, que nutriste Semele,
coroa-te de hera, manda, ordena
que se colham os frutos das videiras

verdes de belos bagos, e conduze
a festa báquica portando ramos
tirados de carvalhos ou com galhos
recém-cortados de qualquer pinheiro!
Bordai com crespos pêlos brancos, Mênades,
vossas peles de corças pintalgadas!
Levai contrita e firmemente os tirsos!
Tebas inteira vai participar
das danças consagradas quando Brômio
sair guiando os coros das devotas
em direção aos montes altaneiros
onde o esperam muitas celebrantes
que abandonaram os seus afazeres
— principalmente suas lançadeiras —,
tangidas pelos aguilhões de Báquio.
Ah! Grutas dos Curetes[6], antros sacros
de Creta, berço de Zeus inda infante!
Nas profundezas de vossos refúgios
os Coribantes[7] com seus gorros triplos
criaram para nós estes tambores
feitos de fino couro distendido;
depois, acrescentando a seu delírio
o sopro mais doce das flautas frígias,
eles os colocaram entre as mãos
de Rea-Mãe para fazerem eco
aos gritos estridentes das Bacantes.
E os Sátiros de mente pervertida,
tirando-os de nossa mãe divina
fizeram deles o instrumento único
das danças chamadas de trienais,
delícia preferida por Diôniso!
É doce para nós nos altos montes,
quando saímos da corrida báquica,
ficar deitadas na relva abundante
sob a pele de corça, e capturar
um bode para ser sacrificado
e devorar a sua carne crua,
extasiadas, enquanto corremos
pelos montes da Frígia, ou então
nos montes lídios levadas por Brômio!
Gritemos todas Evoé! O chão
regurgita de leite e regurgita

de vinho embriagador e, mais ainda,
satura-se do néctar das abelhas!
Desse chão impregnado também sobe,
como um vapor, o raro incenso sírio.
E Baco, erguendo a tocha flamejante
feita de pinho e amarrada ao tirso,
corre e se agita e traz de volta aos coros
inúmeras devotas desgarradas.
Seus gritos aceleram a corrida
enquanto sua bela cabeleira
flutua ao vento quando é agitada.
Ao som de muitos gritos de Evoé
estronda sua voz: "Vamos, Bacantes!
Vamos, Bacantes! Vamos! Cintilando
como as águas do Tmolo[8], cheias de ouro,
cantai uníssonas vosso Diôniso
ao som dos ruidosos tamborins
— Evoé, Evoé —, vosso deus báquico,
reiterando seus apelos frígios,
seus gritos, enquanto a flauta sonora,
a flauta sacrossanta, entoa em solo
a ária consagrada, impondo o ritmo
à tresloucada carreira das Mênades
em direção aos montes!" Parecendo
uma potrinha alegre junto à mãe
nos verdes prados, a Bacante pula
e corre sem deter os pés ligeiros.

Entra com seu guia o adivinho Tirésias, *velho e cego, e bate à porta do palácio real.* Cadmo *aparece à porta*

TIRÉSIAS

Quem é o guarda do palácio? Chama Cadmo,
o filho de Agenor, que vindo lá de Sídon
há muitos anos, protegeu nossa cidade
com as muralhas existentes até hoje!
Manda dizer-lhe que Tirésias quer vê-lo
para falar com ele! Cadmo saberá
por que estou aqui e o que minha velhice
comprometeu-se a revelar agora à dele.
O assunto é adornar com hera nossos tirsos,
usar coroas verdes e peles de corças.

CADMO

Saindo do palácio com uma coroa de hera e com uma pele de corça sobre os ombros

Reconheci, amigo meu, a tua voz,
a voz repleta do saber de um grande sábio[8a];
já saio do palácio com as santas vestes.
De nossa parte é tempo de exaltar Dioniso,
o deus nascido de minha filha Semele,
que já provou aos homens sua divindade.
Onde é conveniente dar início às danças?
Em que lugar? Onde teremos de agitar
nossa cabeça encanecida? Instrui, Tirésias,
minha idade avançada com a sapiência
haurida ao longo do curso de tua vida,
pois quero de agora em diante, noite e dia,
ferir o chão a todo instante com meu tirso.
Sinto-me tão feliz esquecendo a velhice!...

TIRÉSIAS

Teu pensamento é igual ao meu, e como tu
volto a ser jovem e quero juntar-me aos coros.

CADMO

Não é possível ir de carro até os montes?

TIRÉSIAS

Se fôssemos, teriam um valor menor
as nossas homenagens a Baco[9] divino.

CADMO

Serei então um velho guiando outro velho?

TIRÉSIAS

O deus nos levará ao topo sem cansaço.

CADMO

Somente nós entre os tebanos numerosos
estaremos dançando para Báquio ver?

TIRÉSIAS

Temos de nosso lado a límpida verdade;
quem não fizer o mesmo será um demente.

CADMO

Não demoremos. Vamos! Dá-me tua mão!

TIRÉSIAS

Ei-la; trata de segurá-la com a tua.

CADMO

Respeito os deuses, pois sou um simples mortal.

TIRÉSIAS

Não temos pretensões quanto ao conhecimento
de tudo que é divino. Nenhum pensamento
afetará as tradições que recebemos
de nossos ancestrais, antigas como o tempo
e resistentes aos sutis raciocínios
dos cérebros sofísticos. Muitos dirão
— sei muito bem — que estou faltando com o respeito
aos meus cabelos brancos, eu, velho decrépito,
dançando coroado de ramos de hera.
O deus, porém, não faz a menor distinção
entre as idades; são iguais jovens e velhos
em seus sagrados coros; ele quer apenas
receber homenagens de todos os crentes,
pois em seu culto não há discriminações.

CADMO

Já que não vês a luz do sol, velho Tirésias,

minhas palavras suprirão tua carência.
Distingo agora mesmo, vindo para cá,
Penteu, filho de Equíon, sucessor legítimo
em meu trono e meu cetro; ele vem apressado
em nossa direção e parece agitado.
Que virá ele anunciar a esta hora?

Entra Penteu em trajes régios e muito agitado

PENTEU

Estive ausente da cidade e me falaram
sobre o novo flagelo que perturba Tebas:
a deserção dos lares por nossas mulheres,
sua partida súbita para aderirem
a pretensos mistérios, sua permanência
na floresta sombria só para exaltarem
com suas danças uma nova divindade
— um tal Diôniso, seja ele quem for.
Taças cheias de vinho, segundo os relatos,
circulam incessantemente entre esses grupos.
Vindas de todos os lugares, as mulheres
procuram os recantos menos acessíveis
para proporcionarem prazeres aos homens.
São esses os chamados rituais das Mênades,
mas antes de Diôniso todas cultuam
Afrodite divina[10]. Eu mesmo, muitas vezes
surpreendi-as e ordenei que fossem presas,
com suas mãos atadas, em cadeias públicas
sempre guardadas por subordinados meus;
quanto às restantes, vou persegui-las nos montes.
Em minhas redes de finas malhas de ferro
manterei presas Ino, Agave (minha mãe,
mulher de Equíon) e Autônoe, mãe de Actáion;
elas terão de renegar o culto sórdido.
Disseram-me que um forasteiro — um impostor
e sedutor vindo da Lídia distante —
com seus cabelos louros cheios de perfume
arranjados em cachos cuidadosamente,
a tez corada e os olhos cheios do encanto
que emana de Afrodite, introduziu-se aqui
e se mistura dia e noite à multidão

de suas seguidoras. Ele está tentando
as nossas virgens com um ótimo atrativo:
o furor de seus ritos! Se eu tiver a sorte
de o encontrar um dia em meu real palácio,
garanto que ele nunca mais irá bater
com seu tirso no chão tebano e ostentar
os seus longos cabelos flutuando ao vento:
seu corpo lânguido ficará sem cabeça!
Ele diz sem parar: "Diôniso é um deus!
Ele foi enxertado na coxa de Zeus!"
Mas, na realidade, o fogo fulgurante
o consumiu no ventre da pobre Semele
— de sua mãe —, que mentia quando falava
pretensiosamente em sua condição
de esposa de Zeus poderoso! Quanta audácia!
Não merece ser enforcado ignobilmente
para expiar como convém a sua audácia
esse impostor que nos afronta e desafia?
Mas eis outro portento! Estou vendo Tirésias
com a pele de corça! Como é ridículo!
Ao lado dele vem o pai de minha mãe
— de Agave delirante! — portando nas mãos
o tirso das Bacantes! Meu avô! Renego-te,
velho insensato! Não vês que deves jogar
para longe de ti este ramo de hera
e o tirso que seguras, pai de minha mãe?
E tu, Tirésias, converteste meu pai,
pois queres ser bem pago pela observação
dos vaticínios trazidos pelos pássaros
e das entranhas dos animais imolados,
e impor a todos nós o deus desconhecido!
Se teus cabelos brancos não te protegessem
irias já sentar entre as muitas Bacantes,
coberto de correntes, como punição
por tua tentativa de impingir a Tebas
um culto infame! Digo que não há pureza
em festas onde o vinho é servido às mulheres!

CORIFEU

Quanta profanação! Não temes, estrangeiro,
os deuses da cidade, nem o próprio Cadmo
que dispersou no solo as célebres sementes[11]?

TIRÉSIAS

Quando algum homem sábio em suas falas
trata de assuntos elevados, sem esforço
sua linguagem é naturalmente bela.
Tu, ao contrário, embora fales bem
e dês a impressão de ser de boa índole,
não tens razão alguma em tudo que disseste.
Um orador capaz e muito audacioso,
se lhe falta bom senso é um grande flagelo
para sua cidade. Com que argumentos
poderei expressar a singular grandeza
que atingirá em nossa terra o novo deus,
alvo de teu escárnio? Pois saibas, filho,
que para todos nós, simples seres humanos,
há dois conceitos realmente essenciais:
primeiro o de Deméter, a deusa maior
ou, se preferes, simplesmente a Terra-Mãe
(podemos invocá-la por um destes nomes);
ela nos nutre com seus alimentos sólidos;
depois da deusa veio o filho de Semele,
seu êmulo, que descobriu e revelou
o leve suco produzido pelas uvas
para curar de suas muitas amarguras
a triste raça humana; a simples ingestão
do néctar tirado das uvas, nos concede
o esquecimento dos males cotidianos,
graças à paz do sono, único remédio
para nossos padecimentos. Sendo deus[11a],
Diôniso é dado a outras divindades
e lhe devemos todo o bem que elas nos fazem.
Escarneces de um deus por ter sido enxertado
na coxa de seu pai — de Zeus? Então, Penteu,
vou instruir-te demonstrando como tudo
se explica e é maravilhosamente claro.
Quando Zeus extinguiu o fogo de seu raio
e transportou para o Olimpo o deus-menino,
Hera tentou precipitá-lo das alturas
celestiais; Zeus, como grande deus que é,
opôs à intenção da deusa um artifício
condizente com sua condição divina:
tirou do éter sobreposto à terra-mãe

uma porção suficiente e fez com ela
um simulacro igual à imagem de Dioniso
e o entregou a Hera como seu refém,
suavizando assim o ciúme da esposa.
Mais tarde pensou-se que o deus recém-nascido
tinha sido enxertado na coxa de Zeus
por causa de um mal-entendido com palavras[12].
A circunstância de o deus ter sido um refém
nas mãos de Hera, embora só em aparência,
foi a origem da versão mais divulgada.
Além disso, Dioniso é um profeta,
e assim os seus delírios são divinatórios;
por isso, quando ele penetra fortemente
em nosso corpo, embriagando-nos, revela
o que ainda está por vir. Em alguns casos
ele de certo modo age como Ares[13].
Em outra ocasião viram-no dispersar,
sem que tivesse havido um embate de lanças,
um grande exército pronto para atacar,
vencido só pelo terror, porque Dioniso
tirou de todos os inúmeros soldados
o uso da razão. Poderás vê-lo ainda
ao longo dos rochedos em volta de Delfos,
portando uma tocha acesa em cada mão,
correr pelas partes mais altas dos dois cumes
e transformar-se finalmente num dos deuses
mais poderosos cultuados pelos gregos.
Escuta-me, Penteu! Não sejas arrogante!
Não imagines que teu cetro tudo pode
diante de todos os seres! Não confundas
uma ilusão de teu espírito doente
com a sabedoria humana! Acolhe aqui
o deus recém-chegado e nunca mais o esqueças
em tuas libações! Adere a meu delírio!
Coroa-te de hera! Não compete a Baco
forçar suas devotas a ser moderadas
no culto de Afrodite. É o temperamento
de cada uma que a incita à castidade
em todos os momentos de sua existência.
Ouve-me: os arrebatamentos orgiásticos
jamais corrompem a mulher de fato pura!
Por certo sabes o quanto ficas feliz

quando teus súditos à porta do palácio
se agrupam para te aclamar e todos juntos
exaltam o teu nome, o nome de Penteu!
Pois este deus se emociona como tu
quando lhe prestam homenagens espontâneas.
Em conclusão, Cadmo e eu, indiferentes
às tuas zombarias, apesar da idade
iremos, coroados com ramos de hera,
juntar-nos aos demais fiéis para dançar,
para dançar — repito! —, a despeito de tudo!
Jamais me persuadirão os teus discursos
a combater os deuses, eu simples mortal!
É louco, é irremediavelmente louco,
quem corrompeu a tua alma desta forma!

CORIFEU

Dirigindo-se a TIRÉSIAS

És sábio, ancião; sem ultrajar Apolo,
tuas palavras honram um deus grande — Brômio.

CADMO

Tirésias exortou-te com razão, Penteu.
Junta-te a mim e a ele! Não deves pensar
em renegar agora nossas tradições.
Afasta-se do bom caminho teu espírito
e tua mente está pensando no vazio.
Ainda que Dióniso não fosse um deus,
como imaginas, deverias, mesmo assim,
dar-lhe este nome e admitir devotamente
a invenção de que ele é filho de Semele,
para que ela desfrute a fama de ser mãe,
ela, mortal, de um deus, e esta distinção
se estenda sobre todos os nossos parentes.
Sem dúvida conheces o destino horrível
de Actáion, devorado pelos cães ferozes
que ele criara, quando foi caçar nos campos,
apenas por estar sempre vangloriando-se
de ser um caçador muito melhor que Ártemis.
Não tens receios de um castigo semelhante?

Vem cá! Deixa-me coroar a tua fronte
com estes ramos frescos de hera verdejante!
Vem homenagear conosco o novo deus!

PENTEU

Não toques em meu corpo! Afasta estas mãos!
Vai embora daqui para outro lugar
e se quiseres fica lá com as Bacantes!
Não me transmitas a loucura de que sofres!
Mas este mau profeta e mestre de tolices
terá de ser punido imediatamente!

Dirigindo-se a seus guardas

Ide depressa até onde estiver a trípode
da qual este velho interpreta os ágeis pássaros!
Valei-vos de uma picareta ou de um tridente!
Ide! Arrancai! Virai de pernas para o ar
seu trono e lançai tudo em todos os sentidos!
Deixai que os ventos furiosos esfarrapem
as suas faixas coloridas! Tal castigo
será sem dúvida o pior para Tirésias!
Ide em seguida percorrer nossa cidade
à procura de pistas desse efeminado,
núncio de novo mal para nossas mulheres,
capaz de corrompê-las nos lares tebanos!
E depois de prendê-lo e de o acorrentar
trazei-o logo a mim para que eu o condene
a ser apedrejado até perder a vida!
Será demais amargo o fim da grande festa
que ele queria oferecer a todos nós!

Saem os guardas de PENTEU

TIRÉSIAS

Dirigindo-se a PENTEU

Ah! Infeliz! Não sabes o que nos disseste!
De início estavas simplesmente perturbado,
mas a tua loucura agora é evidente!

Dirigindo-se a CADMO

É hora de fazermos preces, tu e eu,
por um demente, embora seja tão feroz,
preces pela cidade, e conjurar o deus
a não lhe trazer males nunca imaginados.
Agora segue-me. Segura teu bastão
coberto de ramos de hera. Trata, amigo,
de orientar meus passos enquanto me amparo,
pois seria ridículo para dois velhos
caírem juntos. Siga-nos quem tiver ânimo,
pois temos de servir a Báquio, o deus
filho de Zeus. Mas deves ter cuidado, Cadmo,
para que o rei Penteu não faça entrar o luto
em tua casa (não me inspira o dom profético;
os fatos falam e são bastante eloqüentes).
Estando louco, ele procede loucamente.

Saem TIRÉSIAS *e* CADMO

CORO

Divina Devoção, deusa querida
pelos augustos deuses! Devoção
— sim, tu que pairas sobre nossa terra
graças ao ímpeto de tuas asas —,
ouviste bem as falas de Penteu?
Escutaste no céu o insulto herético
lançado há pouco tempo contra Brômio,
o filho de Semele, o santo príncipe
das criaturas bem-aventuradas,
senhor das festas cheias de alegria,
ornadas de coroas? Seu encargo
é conduzir os coros sempre dóceis
ao som das flautas, para adormecer
nossos cuidados e acordar o riso,
quando começa a cintilar o vinho
durante as comemorações sagradas,
e enquanto nos cortejos adornamo-nos
com ramos de hera a taça serve o sono
aos convidados! As falas sem freios,
os exageros ímpios nos conduzem

inevitavelmente ao infortúnio.
Somente uma existência sossegada
e a sã razão preservam nossas casas
dos golpes do destino inexorável.
Embora morem nos confins do éter,
muito longe do mundo em que vivemos,
os deuses vêem as ações dos homens.
Aparentar grande força de espírito
não é sabedoria, nem tampouco
pensar além da condição humana.
A vida é breve e aqueles que investigam
alturas fora do alcance dos olhos
deixarão escapar os bens terrenos.
Viver dessa maneira imprópria aos homens
revela as almas às quais falta o senso
e os corações sempre desnorteados.
Ah! Como gostaríamos de ir
lá para Chipre, a ilha de Afrodite,
onde os amores reinam absolutos
para nosso maior contentamento,
ou para Faros, sempre fecundada
pelas águas do grande rio bárbaro[14]
que chega ao mar através de cem bocas
e não pelas chuvas vindas do céu,
ou para o lugar mais belo do mundo
— a Pieria, onde as Musas moram
nas vertentes do Olimpo muito alto!
Leva-nos para lá, deus poderoso,
Diôniso, Diôniso, Evoé,
guia seguro para as Bacanais!
Lá residem as Graças e o Desejo,
e lá as fidelíssimas Bacantes
poderão celebrar condignamente
seus indizíveis, divinos mistérios.
O deus filho de Zeus desfruta as festas
deliciosas; ele adora a Paz,
deusa nutriz e salvação dos jovens,
que nos proporciona a opulência.
Ao pobre e igualmente ao abastado
ele oferece em dose igual o vinho
que encanta e alivia. Ele detesta
aqueles cujo desejo constante

não seja, na claridade do dia
e na doçura da noite sombria,
saborear a ventura e a vida,
tendo, como convém a quem é sábio,
o coração e a mente bem distantes
de todos os mortais muito sutis.
Nosso desejo é adotar também
a fé que a maioria das pessoas
mais simples recebeu e põe em prática.

Entram os guardas de PENTEU *trazendo* DIÔNISO *acorrentado*

GUARDA

Eis-nos aqui, Penteu; trazemos esta presa
que nos mandaste capturar há pouco tempo.
Cumprimos tuas ordens rigorosamente;
a fera comportou-se com docilidade;
ele não fez esforço algum para livrar-se
de nossas fortes mãos e voluntariamente
nos estendeu os punhos. Mostrando-se manso,
sem empalidecer e sem que se alterasse
o brilho de seus olhos, e até sorridente,
nos convidou a carregá-lo de correntes
para trazê-lo assim até o teu palácio.
Enquanto ainda estávamos onde o prendemos
ele cooperou conosco e eu lhe disse
atônito: "Ouve, estrangeiro; não te levo
por minha própria decisão; recebi ordens
do rei Penteu; foi ele quem me encarregou
desta missão." Quanto às Bacantes que prendeste
e acorrentaste no cárcere da cidade,
elas estão saltando em plena liberdade
nos campos próximos e invocando Brômio;
todos os laços dos pés delas desfizeram-se
sem que ninguém as ajudasse, e os ferrolhos
soltaram-se e deixaram que as portas se abrissem
independentemente das mãos de mortais.
Ah! Este homem veio encher de justo espanto
toda a cidade! Agora dize: que faremos?

PENTEU

Podeis soltá-lo, pois colhido em minhas malhas
por mais hábil que seja não se livrará.

Dirigindo-se a DIÔNISO

Mas, para o gosto das mulheres, estrangeiro,
não és malfeito, e confiando apenas nisto
vieste para Tebas; teus longos cabelos
bem arranjados nesses cachos sobre a face
em nada se assemelham aos de um lutador;
eles lembram amor. A tua pele é clara;
vê-se que ficas cuidadosamente à sombra,
sem a expor ao sol, preocupado apenas
com a conquista dos favores de Afrodite.
Agora dize-me qual é a tua origem.

DIÔNISO

É fácil; responder-te-ei sem subterfúgios.
Já viste em Tmolo, a montanha cheia de flores?

PENTEU

Conheço-o; como um enorme anfiteatro,
ele parece estar dando um abraço em Sardes[15].

DIÔNISO

Venho de lá; nasci na celebrada Lídia.

PENTEU

De onde trouxeste para cá estes mistérios?

DIÔNISO

Meu mestre foi Diôniso, filho de Zeus.

PENTEU

Existe lá um Zeus que é pai de novos deuses?

DIÔNISO

Não! O único Zeus amou Semele aqui.

PENTEU

O deus falou-te em sonho, ou foi à luz do dia?

DIÔNISO

Vi-o de frente e recebi dele os mistérios.

PENTEU

Dize: qual é a natureza dos mistérios?

DIÔNISO

Somente iniciados podem conhecê-los.

PENTEU

Qual o proveito para aqueles que os celebram?

DIÔNISO

É muito grande, mas não podes percebê-lo.

PENTEU

A saída é sutil e tende a me enganar.

DIÔNISO

Nossos mistérios têm horror ao sacrilégio.

PENTEU

Se viste mesmo o deus, qual é sua aparência?

DIÔNISO

A que lhe apraz; além disso, nada direi.

PENTEU

Mais uma saída sutil para calar.

DIÔNISO

O rude achará tola uma linguagem sábia.

PENTEU

Trazes contigo o deus pela primeira vez?

DIÔNISO

Todos os bárbaros celebram seus mistérios.

PENTEU

Mas nisto eles são menos cultos que nós, gregos.

DIÔNISO

A diferença talvez seja nos costumes;
em termos de esclarecimento eles vos vencem.

PENTEU

Celebram-se esses ritos à noite ou de dia?

DIÔNISO

Principalmente à noite; as trevas são sagradas.

PENTEU

Nessa armadilha cairão nossas mulheres.

DIÔNISO

O dia também vê ações indecorosas.

PENTEU

Pagarás por estes sofismas de mau gosto!

DIÔNISO

E tu, Penteu, por tua impiedade estúpida
e pelo sacrilégio contra o novo deus.

PENTEU

Ah! Quanta audácia deste adorador de Baco!
Ele não é tão ignorante quando fala.

DIÔNISO

Que suplício me espera? Que mal me farás?

PENTEU

Primeiro cortarei teus cachos bem tratados.

DIÔNISO

Dediquei a meu deus estes santos cabelos.

PENTEU

E solta logo o tirso que trazes na mão!

DIÔNISO

Vem tirá-lo de Baco, a quem ele pertence!

PENTEU

Depois te prenderemos em nossas masmorras.

DIÔNISO

O deus virá soltar-me quando eu desejar.

PENTEU

Deixando sós suas Bacantes fervorosas?

DIÔNISO

Neste preciso instante ele se encontra aqui
e vê com os próprios olhos como tu me tratas.

PENTEU

Onde está ele, então? Meus olhos não o vêem.

DIÔNISO

Onde eu estou, mas a falta de fé te cega.

PENTEU

Dirigindo-se a seus guardas

Prendei-o! Ele nos ultraja, a mim e a Tebas!

DIÔNISO

Dirigindo-se também aos guardas

Proíbo-vos de pôr vossos grilhões em mim!
Dirijo a loucos a minha mensagem sábia!

PENTEU

Tenho o direito de prender-te; sou mais forte.

DIÔNISO

Não sabes o que dizes, quem és e o que fazes!

PENTEU

Eu sou Penteu, filho de Equíon e de Agave.

DIÔNISO

Teu nome te predestinou à desventura[16].

PENTEU

Avante! Acorrentai-o, guardas, aqui perto,
no fundo das cocheiras, para que seus olhos
vejam apenas as trevas impenetráveis!
Lá poderás dançar quando for teu desejo.
Quanto a essas mulheres que antes arrastavas
atrás de ti, irei vendê-las a bom preço
ou, arrancando das mãos ruidosas delas
o instrumento estrepitoso recoberto
de couro fino retesado, impor-lhes-ei
o ofício de tecer como minhas escravas.

DIÔNISO

Irei sem medo, pois não quero suportar
a humilhação destes insultos que me dizes.
Mas de uma coisa podes ter plena certeza:
Diôniso, meu vingador, embora o negues,
te punirá. É teu desejo castigar-me,
mas quem está sendo amarrado agora é ele!

Os guardas levam DIÔNISO *acorrentado para as dependências do palácio*

CORO

Ah! Filha do Aquelôo[17], santa Dirce,
formosa Ninfa! Em tua nascente
há muito tempo deste as boas-vindas
ao filho de Zeus todo-poderoso,
quando seu pai o salvou de morrer
por causa do fogo imortal de um raio
para acolhê-lo em sua própria coxa,
gritando ao filho ainda em gestação:
"Vem, Ditirambo! Vem para viver
no corpo de teu pai muito viril!
Desde este instante chamo-te de Báquio
e determino que a partir de agora
os habitantes da famosa Tebas
te chamem pelo nome que te dou!"
Então és tu, Dirce muito feliz,

que nos repeles quando conseguimos
aproximar-nos com nosso cortejo
enfeitadas de folhas e de flores?
Dize: por que nos repudias? Dize:
por que foges de nós? Juramos todas
pelos cachos carregados de uvas,
dádiva de Dióniso divino,
que ainda pensarás, e muito, em Brômio!
Ah! Que furor! Ah! Que rancor exala
este neto da Terra — sim, Penteu! —,
o filho do dragão assustador,
gerado por Equíon, monstro horrível
de olhar feroz e em nada parecido
com a raça das criaturas humanas,
que tal como um gigante sanguinário
em luta contra os deuses vai prender-nos
em suas malhas, nós, servas de Baco!
Em algum canto oculto do palácio
ele confina em cárcere nojento
onde sem dúvida nem a luz entra
o condutor do cortejo divino!
Sê testemunha, tu, filho de Zeus,
Dióniso! Vês tuas profetisas
lutando aqui contra a fatalidade?
Vem logo, príncipe dos cachos áureos,
brandindo o tirso! Desce do alto Olimpo,
reprime a arrogância do tirano
pronto a fazer jorrar o nosso sangue!
Para que plagas levas teu cortejo,
deus venerado, portador do tirso?
Lá para Nisa, repleta de feras,
ou para os picos dos montes Corícios[18]?
Ou talvez para os vales abismais
do Olimpo cheio de bosques espessos,
onde o famoso Orfeu com os acordes
de sua cítara há muito tempo
enfeitiçava as árvores e as feras?
Évio[19] venera-te, feliz Piéria[20];
ele dirigirá aqui seus coros
e as Bacanais; seguido pelas Mênades
participantes do cortejo báquico,
ele atravessará o veloz Áxio

e logo após o Lídias[21] fecundante,
pai da abundância e distribuidor
dos bens e de toda a prosperidade,
que, segundo se diz, com suas águas
irriga a terra das éguas mais belas.

Ouvem-se os brados de DIÔNISO *nas dependências do palácio*

DIÔNISO

Do interior do palácio

Ouvi-me! Ouvi a minha voz, Bacantes minhas!

CORIFEU

Quem grita? De onde vem este apelo de Évio?

DIÔNISO

Chamo-vos novamente, eu, filho de Semele
e de Zeus poderoso! Ouvi, minhas Bacantes!

CORIFEU

Senhor! Senhor! Vem afinal juntar-te a nós!
Vem já para nosso cortejo! Vem, Diôniso!

DIÔNISO

Divino terremoto! Abala esta cidade!

Ouvem-se ruídos de desmoronamentos

CORIFEU

Ah! Dentro de poucos instantes o palácio
do rei Penteu vai abalar-se, vai ruir!
Está em seu interior o deus Diôniso!
Sim! Adoremo-lo! Nós todas o adoramos!
Vedes a pedra da arquitrave deslocar-se
estrepitosamente no alto das colunas?

Ouve-se o estrondo da queda do teto no interior do palácio

Estou ouvindo Brômio gritar lá dentro!

DIÔNISO

Acenda-se o fulgor dos raios infalíveis
para queimar todo o palácio de Penteu!

Eleva-se uma chama no túmulo de Semele

CORIFEU

Ah! Ah! Não vedes uma chama sobre o túmulo
da tebana Semele? Este é o mesmo fogo
aceso pelo raio mandado por Zeus
que outrora a fulminou e agora está de volta!
Ah! Mênades! Cobri o chão com vossos corpos
inevitavelmente trêmulos! Diôniso,
o deus filho de Zeus, reduzirá a ruínas
o palácio real que está desmoronando!

As Bacantes do CORO *prosternam-se e* DIÔNISO *sai do palácio semidestruído*

DIÔNISO

Por certo enorme espanto encheu vossos espíritos,
mulheres bárbaras, e vos compele agora
a prosternar-vos desta maneira no chão.
Sentistes todas de maneira convincente
que Baco transformou em ruínas o palácio
onde estava Penteu. Mas basta. Levantai-vos,
acalmai vossos corpos expulsando deles
o habitual tremor causado pelo medo.

CORIFEU

Ah! Luz suprema que nos trazes afinal
o êxtase dionisíaco! Sentimos
imenso júbilo por ver-te aparecer
a nossos frágeis corações desarvorados!

DIÔNISO

Já não havia em vós a mínima esperança
quando Penteu, o rei, mandou que me prendessem
nas cocheiras sombrias do real palácio?

CORIFEU

Não era natural o nosso desespero?
Que proteção nos restaria quando víamos
acontecer a última calamidade?
Como escapaste da perseguição do incrédulo?

DIÔNISO

Livrei-me dela sem qualquer dificuldade,
sem esforço maior e sem ajuda alheia.

CORIFEU

Ele não mandou amarrar as tuas mãos?

DIÔNISO

Mandou, e este foi o seu maior engano.
De fato, imaginando que me acorrentava,
ele não quis tocar em mim, sequer de leve,
tão grande era a certeza que em seu coração
lhe garantia que eu estava preso ali.
Ele encontrou um touro na cocheira escura
onde me aprisionara e fez um grande esforço
para imobilizar seus cascos e joelhos,
resfolegando sem parar, desatinado,
molhado de suor e mordendo seus lábios;
eu estava sentado, calmo, perto dele,
como se fosse apenas um espectador.
No mesmo instante Baco invadiu o palácio
abalando as paredes, depois de acender
sobre o sepulcro de Semele, sua mãe,
chamas brilhantes. Quando o viu, o rei Penteu,
imaginando que o fogo já devorava
o palácio real, pôs-se a pular, frenético,

de um lado para o outro, dando ordens aos guardas
para jogarem água incessantemente
no lugar onde estávamos; seus homens todos
puseram mãos à obra sem perda de tempo,
tentando dedicar-se à tarefa ilusória.
Depois, detendo-se e pensando que eu fugira,
ele saltou, brandindo em todos os sentidos
uma espada de ferro negro. Baco, então
— ao menos imagino que era ele mesmo —,
fez surgir um fantasma no meio do pátio;
avançando sobre a brilhante aparição,
Penteu a atacou usando sua arma,
tendo a impressão de que acabara de matar-me.
Mas isto não foi tudo; Baco preparou-lhe
outro desastre, provocando num instante
o desmoronamento do real palácio
estrepitosamente! Custou muito caro
ao ímpio Penteu o meu confinamento.
Vencido por uma fadiga irresistível
e soltando a espada, ele caiu no chão,
este mortal que, levado pela insolência,
quis enfrentar um deus. Eu mesmo abandonei
silenciosamente as ruínas do palácio
e vim juntar-me a vós sem pensar neste herege.

Após alguns momentos de silêncio

Mas tenho a impressão de ouvir lá dentro o som
de botas, como se Penteu viesse andando
em direção à porta, prestes a sair.
Que terá ele para nos contar agora?
Por mais feroz que seja seu ressentimento
quero enfrentá-lo calmamente, pois o sábio
deve conter a irritação de sua alma.

Penteu sai das ruínas do palácio, completamente transtornado

PENTEU

Fui atingido por um golpe insuportável:
fugiu o estrangeiro, embora acorrentado!

Vendo Dioniso

Aqui está o homem! Como ele livrou-se?
Como fugiste e estás à frente do palácio?

DIÔNISO

Contém-te e acalma este rancor desatinado.

PENTEU

Como saíste, escapando de teus grilhões?

DIÔNISO

Disse-te, ou não, Penteu, que me libertariam?

PENTEU

Quem foi? Terás coisas estranhas a contar-me?

DIÔNISO

Soltou-me quem produz as uvas para os homens.

PENTEU

Graças ao vinho ele quer ser o rei de Tebas.

DIÔNISO

Não é possível censurar Baco por isso.

PENTEU

Ordeno o fechamento das portas de Tebas!

DIÔNISO

Por quê? Um deus não é retido por muralhas.

PENTEU

És sábio, estrangeiro, extremamente sábio,
mas não no momento em que deverias ser.

DIÔNISO

Discordo; é principalmente nessas horas
que sobressai minha razão; mas ouve antes
o homem que veio correndo da montanha
em tua direção, trazendo uma mensagem
cujo destinatário és tu. Fica tranqüilo,
de forma alguma tentarei fugir daqui.

Entra precipitadamente um pastor (1º MENSAGEIRO)

1º MENSAGEIRO

Penteu, senhor de Tebas! Venho do Citéron,
onde jamais a alva neve perde o brilho.

PENTEU

Que novidades trazes com tão grande pressa?

1º MENSAGEIRO

Vi as Bacantes lá no alto da montanha,
mulheres respeitáveis que, sempre descalças
e como se estivessem todas incitadas
por algum aguilhão, fugiram da cidade
precipitadamente. Venho anunciar-te
sua conduta estranha, meu senhor e rei,
pois o que fazem essas damas na verdade
é um milagre, ou mais. Eu gostaria muito
de saber antes se seria preferível
contar-te tudo sem rodeios, ou então
impor limites à minha língua ansiosa.
Receio a exaltação de tua alma, rei,
o teu rancor exacerbado e repentino
e as manifestações de teu humor tirânico

PENTEU

Podes falar; nada tens a temer de mim;
não se deve punir quem cumpre seu dever.
Quanto mais me contares sobre essas Bacantes,

mais rigorosa há de ser a punição
daquele que veio insuflar o desvario
em grande número de mulheres tebanas.

1º MENSAGEIRO

Eu acabava de deixar na parte plana
do alto monte as reses de meu bom rebanho
e prosseguia em direção ao cume alvo,
na hora em que o sol já se aqueceu e solta
seus raios como se fossem dardos de luz.
Meus olhos viram num instante três cortejos,
três coros de mulheres; o primeiro deles
tinha à frente Autônoe; já o segundo,
Agave, tua mãe; finalmente o terceiro
era levado por Inó. Naquela hora
todas dormiam com os corpos relaxados;
algumas delas reclinavam-se nos ramos
de viçosos pinheiros e se aproveitavam
da sombra que essas árvores ofereciam;
outras deitavam-se sobre folhas caídas
de frondosos carvalhos, mantendo a cabeça
em atitude casta, e postas em repouso
no solo coberto de folhas, ao acaso
e não como as descreves em tuas conversas,
completamente embriagadas pelo vinho
e pelo som das flautas doces, procurando
discretamente a bela Cípris na floresta.
Mas eis que tua mãe, erguendo-se no meio
das Bacantes adormecidas, deu um grito
para acordá-las, logo depois de escutar
os bois cornudos que mugiam mansamente.
Após afugentar dos olhos descansados
o sono antes profundo, atentas à decência
todas puseram-se a compor as suas roupas,
as jovens, as idosas e também as virgens
ainda alheias aos deveres conjugais;
primeiro elas deixaram cair os cabelos
em ondas sobre os ombros alvos; em seguida,
cuidaram de ajustar ao corpo as mantas feitas
da pele de corças malhadas, cujos laços
estavam frouxos, mas usando em vez de cinto

víboras ágeis que lhes lambiam o rosto;
outras punham no colo filhotes de corças
e até de lobos, dando-lhes os seios túrgidos
do leite que lhes veio com a maternidade
— mães descuidosas dos filhos recém-nascidos.
Todas elas ornavam cuidadosamente
a fronte com coroas de folhas de hera
ou com belas flores silvestres; uma delas
bateu com o tirso numa rocha e fez jorrar
da mesma, num instante, um jato de água límpida;
outra, ferindo o chão com a sua varinha[22]
viu esguichar da terra por obra do deus
uma fonte de vinho. As que sentiam falta
do alvo leite, esfregavam no solo os dedos
e o recolhiam de repente em abundância.
Do tirso recoberto de folhas de hera
pingava o mel mais doce. Ah! Meu senhor e rei!
Por que não estavas presente para ver
o espetáculo? Gostarias sem dúvida
de dirigir tu mesmo preces fervorosas
ao deus que aqui blasfemas! Nós, simples pastores,
nos reunimos para trocar impressões
e discutir e chegamos à conclusão
de sermos todos testemunhas de prodígios
dignos de admiração. Um de nossos colegas,
que ia com maior freqüência à cidade
e conhecia bem a arte de falar,
nos dirigiu então as seguintes palavras:
"Vós, que viveis aqui nas alturas sagradas
destas montanhas, estaríeis decididos
a me seguir na caça à soberana Agave,
mãe de Penteu? Ele nos agradecerá
se pudermos tirá-la deste coro báquico."
Nós concordamos e ficamos emboscados
no denso emaranhado da vegetação
dos bosques verdes. O momento era propício;
os cortejos estavam em preparativos
para participar de uma corrida báquica,
e todas as mulheres em competição
faziam em uníssono a invocação
a Íaco[23], a Brômio, filho de Zeus;
o alto monte, tendo à frente as suas feras,

participava de uma festa delirante
durante a qual tudo corria e se agitava.
De repente passou por mim saltando Agave;
na ânsia de agarrá-la eu também saltei
para fora da moita onde estava emboscado.
Mas ela urrava: “Estamos sendo perseguidas,
minhas cadelas lépidas! Vedes os homens?
Segui-me, acompanhai-me, armai-vos todas vós!
Empunhai vossos tirsos!” Sem hesitação
pusemo-nos em fuga para nos livrarmos
daquele bando de Bacantes furiosas,
querendo estraçalhar-nos de qualquer maneira.
Frustradas, elas se lançaram loucamente
sobre os bois que pastavam nos lugares planos;
sem ter nas mãos sequer o ferro de uma arma
— que vimos? — uma, com seus braços afastados
levantou uma vaca com o ubre túrgido,
mugindo sem parar; outras, usando as mãos,
esquartejavam as novilhas indefesas;
por toda parte era possível descobrir,
dispersos nas pastagens e mesmo nas árvores,
costelas, cascos bifurcados, que, suspensos
nos ramos dos pinheiros, gotejavam sangue.
Touros enfurecidos que as ameaçavam
com os seus chifres agressivos, num instante
tombavam e mil mãos de mulheres desciam
sobre seus corpos retalhando toda a carne
que lhes cobria os ossos, mais depressa, rei,
do que tu mesmo baixarias tuas pálpebras
sobre as pupilas. E como voam as aves,
impetuosamente elas precipitavam-se
em direção aos campos planos que se estendem
ao longo das margens do caudaloso Asopo,
onde se colhe muito trigo para Tebas.
Apoderando-se das aldeias de Eritras
e de Hisiás, bem perto do monte Citéron,
como uma horda delirante se lançavam
em massa contra elas, devastando tudo
e apoderando-se de todas as crianças.
Nada do que elas tinham nos ombros caía,
nem mesmo objetos feitos de ferro ou de bronze,
embora nada segurasse coisa alguma.

O próprio fogo, permeando seus cabelos,
não os queimava. Os habitantes das aldeias,
desesperados com tantas barbaridades,
armaram-se e lançaram-se contra as Bacantes.
Ah! Nosso rei! Vimos ali naquela hora
fatos prodigiosos! O ferro das lanças
não provocava sangramento em suas carnes
e com um simples arremesso de seus tirsos
elas cobriam de feridas hemorrágicas
seus inimigos. Aquelas frágeis mulheres
punham em fuga à sua frente os homens todos,
prova cabal de que algum deus as ajudava.
Depois desses prodígios vimo-las voltarem
ao lugar onde começou sua corrida,
às fontes que seu deus criara para elas,
lavando ali as mãos ainda ensagüentadas
enquanto suas víboras lambiam ávidas
todos os traços do sangue que inda corria
em suas faces. Meu senhor! Acolhe agora
em tua Tebas este deus, seja qual for,
pois ele é poderoso em todos os sentidos
e, além disso, pelo que nos foi contado,
ofereceu-nos, a nós, os simples mortais,
a vinha que nos livra de nossos pesares.
De fato, sem o vinho onde haveria amor?
Que encanto restaria aos homens infelizes?

Sai o 1º Mensageiro

CORIFEU

Tenho receio de externar meu pensamento
com a máxima franqueza, mas de qualquer modo
devo dizê-lo: o deus Diôniso não tem
menos poderes que qualquer dos outros deuses.

PENTEU

Como uma chama que se eleva e nos envolve,
o despudor dessas Bacantes nos desonra
aos olhos de todos os gregos. Vamos logo!
Não é possível adiar nossa partida!

Dirigindo-se a um de seus guardas

Corre à porta de Electra[24]! Leva minhas ordens:
os cavaleiros que montam em meus corcéis
e aqueles cujas mãos fazem vibrar as cordas
dos arcos retesados, devem aprontar-se!
Chegou a hora de lutar contra as Bacantes!
Seria realmente passar dos limites
da tolerância consentir que essas mulheres
nos envergonhem com o seu procedimento!

DIÔNISO

Não queres escutar minhas palavras,
nobre Penteu; embora tenhas-me ultrajado,
declaro-te que não devemos empunhar
em tempo algum as armas contra as divindades,
e sim viver constantemente em paz com elas.
Jamais Baco permitirá a expulsão
do cortejo sagrado de suas Bacantes
dos montes onde ecoam gritos de Evoé.

PENTEU

Pois basta de lições! Não estás satisfeito
com tua fuga da prisão em que te pus?
Queres ser levado de volta para lá?

DIÔNISO

Em vez de escoicear contra quem te aguilhoa
— um simples mortal rebelado contra um deus —,
por que não lhe ofereces santos sacrifícios?

PENTEU

Vou dedicar-lhe o sacrifício merecido:
ondas de sangue serão derramadas hoje
nos flancos do Citéron por essas mulheres!

DIÔNISO

Fugireis todos! Que vergonha! As Bacantes
vencendo os escudos de bronze com seus tirsos!

PENTEU

Quer se sujeite à minha lei, quer nos ataque,
esse estrangeiro, um adversário invencível,
jamais há de fechar a boca concordando!

DIÔNISO

Podemos entender-nos, meu caro Penteu...

PENTEU

E que será de mim? Um servo de meus servos?

DIÔNISO

Posso trazer essas mulheres para ti
sem recorrer às armas ou à violência.

PENTEU

Ai! Ai de mim! Isto é um golpe de esperteza!
Preparas mais uma de tuas armadilhas!

DIÔNISO

Mas como, se me esforço para te salvar?

PENTEU

Sem dúvida tramaste com tuas Bacantes
ardis para perpetuar vossos cortejos!

DIÔNISO

Não nego que conspiro, mas só com o deus.

PENTEU

Dirigindo-se primeiro a seus guardas e depois a DIÔNISO

Trazei as minhas armas! Tu, fica em silêncio!

DIÔNISO

Gostarias de vê-las soltas nas montanhas?

PENTEU

Por certo, mesmo que custasse muito ouro.

DIÔNISO

De onde te veio este desejo violento?

PENTEU

Devo dizer que ficaria compungido
ao vê-las nessas condições constrangedoras.

DIÔNISO

Então sentes vontades de presenciar
um espetáculo que te causa desgosto?

PENTEU

Sinto, mas escondido entre os altos pinheiros.

DIÔNISO

Elas te estripariam onde te ocultasses.

PENTEU

Dou-te razão; mas vou de rosto descoberto!

DIÔNISO

De acordo. Queres que te guie? Estás pronto?

PENTEU

Leva-me sem delongas; não quero esperar.

Diôniso

Antes cobre teu corpo com roupas de linho[24a].

Penteu

Como? De homem que sou transformas-me em mulher?

Diôniso

Matar-te-iam se te vissem como homem.

Penteu

Falaste bem; já te mostraste sábio antes...

Diôniso

Porque Diôniso me inspira quanto a isto...

Penteu

Como posso seguir teus ótimos conselhos?

Diôniso

Entremos no palácio; lá te vestirei.

Penteu

Mas, com que trajes? De mulher? Eu coraria!

Diôniso

Já não tens pressa de surpreender as Mênades?

Penteu

Descreve os trajes com que pretendes vestir-me.

Diôniso

Terás uma longa peruca na cabeça.

PENTEU

Qual seria a segunda peça do disfarce?

DIÔNISO

Um manto pregueado; na cabeça, a mitra.

PENTEU

Inda haverá mais peças além dessas três?

DIÔNISO

Na mão, um tirso; a pele de corça malhada..

PENTEU

Não me decido a me vestir como mulher.

DIÔNISO

Correrá sangue se quiseres atacá-las.

PENTEU

Bem dito; cuidarei primeiro de observá-las.

DIÔNISO

Pior é ser ferido querendo ferir.

PENTEU

Será possível cruzar Tebas sem ser visto?

DIÔNISO

Levar-te-ei pelos caminhos mais desertos.

PENTEU

Tudo, menos provocar risos das Bacantes!
Entremos no palácio e deliberemos.

DIÔNISO

Assim será, o meu desejo é ajudar-te.

PENTEU

Não ficarei parado aqui; vou comandar
os meus soldados, ou seguirei teus conselhos?

PENTEU entra nos restos do palácio

DIÔNISO

Dirigindo-se ao CORO

Mulheres! O homem caiu em nossas redes
e a morte será seu castigo por ousar
essa visita às Bacantes nas montanhas.
Chegou a hora de Diôniso atuar!
Não está longe a presa. Devemos puni-lo,
primeiro instilando agora em seu espírito
uma loucura irresistível que o transtorne;
se ele mantiver o seu bom-senso intacto
não quererá usar as roupas femininas,
mas se o perdeu as vestirá sem objeções.
Quero fazer os bons tebanos rirem dele
acompanhando-o pela cidade inteira
disfarçado em mulher, ele, que era temido
até agora por ameaçá-las sempre.
Mas devo ir até onde Penteu está
para ajustar as roupas que ele vai usar
quando descer ao Hades[25], morto pela mãe.
Ele hoje reconhecerá, embora tarde,
a força de Diôniso, filho de Zeus,
clemente com os homens, mas que também sabe
mostrar-se quando quer um deus dos mais temíveis!

DIÔNISO entra no palácio em ruínas

CORO

Vamos enfim juntar nossos pés nus

aos cortejos noturnos de Diôniso,
lançando para trás nossas cabeças
no ar umedecido pelo orvalho,
como corças saltando satisfeitas
nos verdes prados depois de escaparem
das redes escondidas nas veredas.
Mas de repente o caçador incita
com gritos a corrida de seus cães;
mais rápidas que as tempestades súbitas
elas saltam ao longo dos riachos
pelas campinas, procurando, aflitas,
bem longe dos homens desnaturados
a paz e a sombra da floresta escura.
Que é ciência, que é glória máxima,
presentes dos bons deuses, senão ter
nas mãos vitoriosas o inimigo?
O que é bom é sempre desejável.
Move-se lentamente a onipotência
das divindades, mas é infalível.
Elas dão o castigo às criaturas
condescendentes com a iniqüidade
e cuja mente devotada ao mal
tira dos deuses justas homenagens.
Graças a mil ardis elas ignoram
o perpassar do tempo e implacáveis
seguem até o fim as suas presas.
Mas nada nós devemos conceber,
nada devemos praticar na vida,
que esteja acima das divinas leis.
Não é difícil realmente crer
na onipotência de um poder supremo,
seja qual for a verdadeira origem
das divindades que desde os primórdios
e ao longo dos tempos imemoráveis
têm a força de lei entre os mortais,
pois vem da natureza sua origem.
Que é ciência, que é glória máxima,
presentes dos bons deuses, senão ter
nas mãos vitoriosas o inimigo?
O que é bom é sempre desejável[25a].
Feliz é quem pode escapar à morte
em pleno mar e chega vivo ao porto!

Feliz é quem consegue superar
as provações ao longo desta vida!
Alguns seres humanos vencem outros
em ventura e poder. São incontáveis
os míseros mortais, e incontáveis
as esperanças que eles acalentam.
Alguns chegam sem dúvida à riqueza,
mas para a maioria nada resta!
Consideramos bem-aventuradas
as criaturas que sabem gozar
toda a satisfação de cada dia!

DIÔNISO

Saindo do palácio em ruínas e dirigindo-se a PENTEU, *que ainda estava no interior, disfarçado em mulher e parecendo embriagado*

Tu, que tiveste tanta pressa para ver
o que teus olhos nunca deviam ter visto,
Penteu, tu, que persegues insistentemente
aquelas coisas de que se deve fugir,
sai do palácio e aparece à nossa frente
em trajes feminis, vestido de Bacante,
de Mênade! Espião de tua própria mãe
e de todas as suas fiéis companheiras,
serias confundido com as filhas de Cadmo!

PENTEU

Tenho a impressão de ver dois sóis e duas Tebas
com suas sete portas. Tu, que me conduzes,
agora te assemelhas a um touro bravo,
pois aos meus olhos aparecem grandes chifres
em tua fronte. Eras antes uma fera?
Vejo-te como se fosses de fato um touro.

DIÔNISO

O deus, até há pouco tempo revoltado,
hoje nos acompanha como nosso amigo.
Neste momento vês o que deve ser visto.

PENTEU

E eu, com quem pareço? Dou a impressão
de ser Inó[26] ou a minha própria mãe, Agave?

DIÔNISO

Vendo-te assim é como se eu tivesse ambas
diante de meus olhos. Mas houve descuido
em teu arranjo, pois está desfeito um cacho
de teus cabelos; deves pô-lo sob a mitra.

PENTEU

Eu a tirei de seu lugar há pouco tempo
em meu delírio báquico lá no palácio.

DIÔNISO

Sendo eu o responsável por tua aparência,
devo repô-la em sua posição correta.
Vamos, Penteu! Apruma-te! Ergue a cabeça!

PENTEU

Agora erguê-la-ei como convém; penteia-me
mais a teu gosto, pois estou em tuas mãos.

DIÔNISO

Cuidando de PENTEU

O cinto está frouxo demais e tua roupa
não cai, como devia, em pregas regulares
desde a parte de cima até os tornozelos.

PENTEU

Estou de acordo, ao menos quanto ao pé direito,
mas deste lado o véu deve descer um pouco,
para chegar ao calcanhar e encobri-lo.

DIÔNISO

Considerar-me-ás o teu melhor amigo
quando notares, contra a tua expectativa,
a castidade com que vivem as Bacantes.

PENTEU

Devo empunhar o tirso assim, com a mão direita,
ou com a esquerda como se eu fosse uma Mênade?

DIÔNISO

Convém movê-lo com a tua mão direita
e levantar o pé direito ao mesmo tempo.
Assim! Mudou incrivelmente o teu espírito!

PENTEU

Em tua opinião posso levar nos ombros
todo o monte Citéron e mais as Bacantes?

DIÔNISO

Se desejares, poderás; há pouco tempo
estavas perturbado, mas agora não.

PENTEU

Achas que eu deveria usar uma alavanca
para mover com minhas próprias mãos o monte,
erguendo-o até os ombros com meus braços?

DIÔNISO

Toma cuidado, pois assim destruirias
os santuários onde as graciosas Ninfas
costumam reunir-se e os abrigos de Pan[27]!

PENTEU

Falaste bem. Não devemos usar a força
contra mulheres; ficarei entre os pinheiros.

DIÔNISO

Poderás esconder-te onde te convier
para observar as Mênades sem que elas notem.

PENTEU

Já me vejo nos bosques para surpreendê-las
em seus rústicos leitos e até imagino-as
cativas como pássaros em minhas redes!

DIÔNISO

Não é com este intuito que vais espreitá-las?
Podes prendê-las, se não fores preso antes...

PENTEU

Conduze-me através de Tebas sem demora!
Ninguém aqui é tão ousado como eu.

DIÔNISO

Apenas tu te arriscas por esta cidade.
Esperam-te lutas dignas de ti, Penteu.
Segue-me. Levo-te como amistoso guia,
mas no regresso te trará outra pessoa...

PENTEU

Sim; minha mãe.

DIÔNISO

Diante dos olhos de todos...

PENTEU

Por isso vou partir.

DIÔNISO

... regressarás nos braços...

PENTEU

Serei tão frágil?

DIÔNISO

... de tua bondosa mãe.

PENTEU

Deixas-me ufano!

DIÔNISO

A tua ufania é justa!...

PENTEU

Irei tentar um feito digno de meu nome!

PENTEU afasta-se, seguido por um guarda (o 2º MENSAGEIRO)

DIÔNISO

Deplorável herói! Destino deplorável!
Escalarás o céu ao encontro da glória.
Estende-lhe teus braços maternais, Agave!
E vós também, filhas de Cadmo, estendei,
solícitas, os braços para vosso irmão
que vai travar este combate portentoso,
a ser vencido hoje por mim mesmo e Brômio!
Os acontecimentos dirão os detalhes.

Sai DIÔNISO na mesma direção de PENTEU e do guarda

CORO

Ide, cadelas céleres da raiva[27a],
ide para onde as filhas de Cadmo
reúnem seus cortejos na montanha!
Enfurecei-as contra este homem
dissimulado em roupas de mulher,

que, alucinado, quer espionar
as Mênades em seus acampamentos!
À frente das demais a própria mãe
desse profanador vai querer vê-lo
do alto de um penedo desolado,
como se se tratasse não de mãe
mas de assaltante atento na tocaia.
Ela disse o seguinte às outras Mênades:
"Quem é o homem que chegou aqui
para acuar as filhas do rei Cadmo
em suas correrias na montanha?
Quem ousa aparecer nestas alturas,
a nós, Bacantes? Quem o deu à luz?
Um monstro assim não pode ter saído
do ventre de uma mulher como nós,
mas de alguma leoa, ou pior,
das entranhas das Gôrgonas da Líbia![28]"
Venha a justiça fulgurante, armada
com sua espada e corte mortalmente
o pescoço do criminoso ímpio
e insensível que nasceu de Equíon[29],
um vômito da terra generosa!
Para quem, motivado por maldade
e pelo seu furor desenfreado,
veio atacar teu culto agora, Baco,
e a devoção de tua mãe, Semele,
no desespero de seu coração
e na insânia de sua audácia,
como se dominasse o Invencível,
existe apenas um poder capaz
de refrear seus ímpetos: a Morte
impaciente. Quem apenas pensa
como uma frágil criatura efêmera
leva uma vida isenta de tormentos.
Não aspiramos à sabedoria;
preferimos lutar por outros bens
materiais e de maior valor.
Queiram os céus que toda a nossa vida
transcorra em comunhão com a beleza,
e dia e noite, puras e devotas,
adoremos os deuses, desprezando
as práticas contrárias à justiça!

Venha a justiça fulgurante armada
com sua espada e corte mortalmente
o pescoço do criminoso ímpio
e insensível que nasceu de Equíon,
um vômito da terra generosa!
Mostra-te a nós sob a forma de um touro
ou de um dragão de múltiplas cabeças,
ou de um leão fogoso e belo, Baco!
Vai e com um sorriso aprisiona
com tua rede que provoca a morte
o ímpio caçador destas Bacantes
e deixa seu cadáver entre as Mênades
que o levarão em seu cortejo estrídulo!

Entra o 2º Mensageiro

2º MENSAGEIRO

Ah! Casa outrora florescente em nossa Tebas
do ancião de Sídon[30] que lançou aqui
os dentes do dragão filho da terra! Choro!
Choro por ti, embora seja um mero escravo,
mas os bons servidores sempre participam
de todas as adversidades de seus donos.

CORIFEU

Que há? Que novidades trazes das Bacantes?

2º MENSAGEIRO

Penteu, filho de Equíon, não existe mais!

CORIFEU

Mostras que és um deus grande e poderoso, Brômio!

2º MENSAGEIRO

Que dizes? De que falas? Então é possível
que a desventura de meu rei cause alegria?

Corifeu

Iremos demonstrar nosso contentamento
com hinos bárbaros; não nos causa temor
a perspectiva de sermos acorrentadas.

2º Mensageiro

Pensas que em Tebas haja tanta covardia?

Corifeu

Não manda em nós esta cidade; só Dioniso
tem o poder para dar ordens às Bacantes!

2º Mensageiro

Posso até desculpar-vos, mas o vosso júbilo
diante desta desventura é odioso.

Corifeu

Explica-nos! Descreve logo a morte dele,
desse artesão injusto de tanta injustiça!

2º Mensageiro

Quando deixamos Tebas em nossa jornada
e cruzamos o Ásopo[31] (eu e Penteu),
iniciamos a escalada do Citéron
pelas encostas íngremes do alto monte,
guiados por Diôniso. Paramos logo
num vale atapetado de ervas que abafavam
o som de nossos passos e de nossas vozes,
a fim de vermos sem ser vistos. Esse vale
de acessos escarpados e fundo banhado
por torrentes correndo à sombra dos pinheiros,
era o esconderijo de incontáveis Mênades.
Algumas delas coroavam novamente
com ramos de hera seus tirsos desguarnecidos;
outras, como se fossem potras que acabavam
de livrar-se afinal dos freios, entoavam

e repetiam hinos de louvor a Baco
à semelhança do eco. Penteu, nesse instante,
sem perceber tantas mulheres no cortejo
— ah, infeliz! — gritou: "Estás vendo, estrangeiro,
deste lugar a que acabamos de chegar
as Mênades em seus folguedos imorais?
Subamos ao rochedo e do alto de um pinheiro
dos mais frondosos, verei com meus próprios olhos
todas as atitudes indecentes delas!"
Desde aquele momento vi o estrangeiro[32]
fazer milagres sucessivos; de repente
ele pegou pela parte mais saliente
um galho de pinheiro erecto em pleno ar,
baixando-o até tocar no solo negro.
Então, como se distendesse um grande arco,
ou como um ótimo ferreiro quando curva
o arco de uma roda para compeli-lo
a seguir fielmente o risco do compasso,
assim vergou o galho a mão desse estrangeiro
até o chão, num gesto que excedia a força
de qualquer criatura humana. Logo após
ele prendeu Penteu no galho, e sem soltá-lo
deixou-o retornar à posição normal,
tendo o cuidado de evitar que a montaria
não se livrasse logo de seu cavaleiro.
O galho retesou-se em direção ao céu,
levando meu senhor com ele para o alto.
Penteu foi descoberto e não pôde escapar
aos olhares das Mênades. Naquele ponto
já não o víamos, e uma voz nas alturas
— Diôniso, sem qualquer dúvida — gritou:
"Entrego-vos, filhas queridas, este homem
que riu de vós, de mim e de meus sacros ritos.
Agora é vossa vez! Agi! Vingai-vos dele!"
Enquanto ele falava uma chama divina
brilhou a certa altura unindo a terra ao céu.
Depois o ar silenciou e a folhagem
do vale coberto de bosques se calou
e ninguém mais ouvia gritos de animais.
As Mênades não entenderam no momento
a instigação do deus; elas se levantaram
voltando os olhos para todos os recantos,

e o deus teve de repetir a sua ordem;
tomando consciência do comando báquico,
as filhas do vivido Cadmo, num impulso
não menos repentino que o das alvas pombas,
puseram-se a saltar, e a ânsia de correr
apoderou-se da mãe de Penteu — Agave —,
e de suas irmãs e das Bacantes todas.
De um salto elas atravessaram num instante
a torrente do vale, graças ao furor
que o deus lhes transmitia. Repentinamente
puderam enxergar o meu senhor — coitado! —
vociferando nas alturas do pinheiro.
De súbito, subindo num rochedo próximo,
em frente à árvore, elas deram início
a uma verdadeira chuva de calhaus;
depois lançaram contra ele, como dardos,
galhos sem conta destacados de pinheiros;
outras arremessaram de qualquer maneira
seus tirsos para o alto visando Penteu
— alvo pungente! —; o infeliz, paralisado
pela estupefação, estava pendurado
a uma altura desmedidamente grande
para que qualquer delas pudesse atingi-lo
com toda a sua raiva. Afinal, partindo
estrepitosamente galhos de carvalho
elas cavaram e com essas picaretas
sem ferro revolveram as duras raízes.
Mas, como esse esforço não dava resultados,
Agave esbravejou: "Vamos! Fazei a volta,
Mênades, minhas companheiras! Destruí
o tronco para finalmente capturarmos
a fera que está lá em cima, pois assusta-nos
a possibilidade de ela revelar
as danças e os mistérios de nosso deus!"
E mil mãos atacaram sem perda de tempo
a árvore e a arrancaram da mãe-terra!
Penteu, que estava montado num galho alto,
caiu vertiginosamente em pleno chão,
gritando e lamentando-se, pois intuiu
a aproximação da hora de morrer.
Agave, sua mãe, à frente das Bacantes,
iniciando a imolação sanguinolenta

da qual ela seria a sacerdotisa,
pulou sobre seu filho; este, arrancando a mitra
a custo de sua cabeça e ansioso
por ser reconhecido logo pela mãe
e salvo assim da morte a que ela a condenara,
disse-lhe enquanto lhe acariciava o rosto:
"Sou eu, querida mãe! Sou teu filho Penteu,
que deste à luz no palácio do antigo Equíon!
Ah! Mãe! Apieda-te de mim! Não sacrifiques
teu filho para castigar as suas faltas!"
Agave, pondo muita espuma pela boca
e revirando os olhos desvairadamente,
como se Baco a possuísse, não o ouviu.
Ela prendeu com suas mãos o braço esquerdo
do filho, e com um pé premindo um de seus flancos
deslocou-lhe a espádua e arrancou-a,
sem dúvida não com as suas próprias forças
mas com aquelas que lhe transmitia o deus.
Inó fez sobre o outro flanco a mesma coisa
e lacerou as carnes do pobre Penteu
enquanto Autônoe e as outras mulheres
vinham trazer-lhe mais ajuda. Só se ouviam
lamentações confusas e Penteu gemia
nos momentos finais da luta contra a morte;
ao mesmo tempo as três irmãs, gritando uníssonas,
aceleraram o esquartejamento; uma
logo arrancou do moribundo um de seus braços;
outra um dos pés inda calçado na sandália,
e as três tiraram de seus flancos lacerados
as carnes palpitantes. Com as mãos sangrentas,
como se disputassem um jogo de bola
elas lançavam em todas as direções
restos do corpo de Penteu; pedaços dele
jaziam em vários lugares entre as rochas
e até nos galhos altos de árvores frondosas,
de onde seria dificílimo tirá-los.
Quanto à cabeça do desventurado, Agave
tomou-a entre as mãos e conseguiu fincá-la
sobre seu tirso; ela — coitada! — imaginava
que era a cabeça de um leão, mostrando às Mênades
pelos caminhos do Citéron seu troféu.
Ela incumbiu suas irmãs de organizarem

as danças dos cortejos sacros e orgulhava-se
de sua presa deplorável; em seguida
iniciou a marcha em direção a Tebas,
chamando Baco, seu parceiro e companheiro
de expedições de caça, o belo vencedor
a quem ela queria oferecer, contrita,
um condigno troféu cheio de suas lágrimas.
Minha intenção é vos dizer agora adeus,
pois vou fugir em face desses infortúnios
e não desejo ver a inditosa Agave
chegando a seu palácio em tais condições.
A conduta mais bela e sábia — penso eu —
e a mais segura para todos os mortais
é respeitar os deuses e ser moderado.

Sai o 2º Mensageiro

CORO

Dancemos todas em honra de Baco!
Celebremos aos gritos a derrota,
a desgraça do filho do dragão,
o rei Penteu, que usando ousadamente
os trajes femininos e empunhando
o santo tirso e até a varinha
— presságio de morte inevitável —
e precedido pelo touro sacro,
chegou aqui para ser imolado.
Ah! Numerosas Mênades cadméias!
Vosso exaltado canto triunfal
chega a seu termo com pranto e lamentos!
Nobre combate aquele em que no fim
se enlaça o corpo de um filho querido
com os braços mergulhados em seu sangue!

CORIFEU

Vejo correndo em direção às nossas portas
Agave, mãe do rei Penteu; também observo
o seu olhar esgazeado. Acolhamos
aqui em Tebas o cortejo de Diôniso!

Entra AGAVE, ensangüentada, com as roupas em desordem e tendo nas mãos a cabeça de PENTEU, pensando que trazia um filhote de leão; em uma das mãos ela traz um ramo de hera

AGAVE

Bacantes lá da Ásia!

CORO

Por que gritas?

AGAVE

Trago para o palácio um ramo de hera
recém-cortado. É um troféu de caça.

CORO

Vemo-lo e te acolhemos neste grupo.

AGAVE

Sem redes e sem armas apanhei
este filhote de leão; olhai-o!

CORO

Dize-nos logo de onde estás chegando!

AGAVE

O Citéron...

CORO

Por que nos falas dele?

AGAVE

... viu claramente quando ele morreu.

CORO

Quem o feriu, causando a sua morte?

AGAVE

Coube-me a honra em primeiro lugar,
a mim, a muito venturosa Agave
(assim me chamam nos cortejos báquicos).

CORO

E a quem ela coube depois de ti?

AGAVE

A Cadmo...

CORO

A Cadmo? Mas, dize-me como?

AGAVE

Às duas filhas do vivido Cadmo,
mas antes delas eu feri a presa...
Bela caçada! Festejai também!

CORO

Como, infeliz? Queres que festejemos?

AGAVE

Que bezerrinho lindo! Ainda cresce
na cabecinha do pobre animal
um pêlo bem macio e abundante!

CORO

Ele é peludo como várias feras.

AGAVE

Diôniso, um hábil caçador,
pôs na pista da fera suas Mênades.

CORO

Ele é um grande caçador, um mestre.

AGAVE

Mas não me louvareis?

CORO

Louvar-te-emos.

AGAVE

Minhas irmãs...

CORO

... E teu filho Penteu.

AGAVE

Ele me louvará pela captura
deste feroz filhote de leão.

CORO

Brilhante presa...

AGAVE

Sim, mais que brilhante.

CORO

Estás, então, no auge da alegria?

AGAVE

Alegram-me estes feitos memoráveis
— sim, memoráveis feitos desta terra!

CORIFEU

Ah! Infeliz!... Exibe aos cidadãos de Tebas
a tua presa, o belo troféu de vitória
que vens trazendo, eufórica, em tuas mãos!

AGAVE

Vinde, habitantes numerosos da cidade
ornada de altaneiras torres! Admirai
este leão morto pelas filhas de Cadmo,
não com projéteis téssalos inevitáveis
presos por correias de couro a quem os lança,
nem nas malhas de redes, mas com nossas mãos,
autoras únicas de toda esta proeza!
A partir deste dia nenhum caçador
deve orgulhar-se de conseguir dos artífices
armas supérfluas; com nossas próprias mãos,
e nada mais, pudemos capturar a fera!
Elas bastaram-nos para tirar-lhe a vida,
deixando-a sem a cabeça! Onde está
meu velho pai? Queremos que ele se aproxime.
E meu filho Penteu está aí? Ordeno-lhe
que mande buscar uma escada e a encoste
nestas muralhas; mando que ele suba logo
pelos degraus seguros para pendurar
nos tríglifos[33] esta cabeça de leão,
a presa valiosa que venho trazendo!

Entra CADMO seguido por servos que trazem numa maca os restos desmembrados do corpo de PENTEU

CADMO

Segui-me, portadores deste triste fardo!
Segui-me, escravos meus, pois desejo depor
em frente a meu palácio os restos de Penteu,

penosa e demoradamente procurados
e achados nos atalhos do monte Citéron;
lá recolhi seus restos mortais espalhados
em mil lugares, entre as árvores dos bosques,
uma tarefa imensamente cansativa.
Depois de me afastar das Mênades sem número
eu já voltava às muralhas da cidade
com o velho Tirésias, meu companheiro,
quando soube do crime de minhas três filhas.
Retomei o caminho que leva à montanha
e dela estou trazendo o corpo de Penteu,
reduzido a pedaços pelas mãos das Mênades.
Lá vi Autônoe, uma de minhas filhas,
esposa de Aristeu famoso e mãe de Actáion[33a],
com sua irmã Inó, andando sem destino,
aguilhoadas por um delírio sinistro,
errantes entre as árvores; fiquei sabendo
que Agave saíra apressada para cá
em sua correria báquica incessante.
E não é falsa essa notícia, pois a vejo
à minha frente, um espetáculo horroroso!

AGAVE

Podes sentir, meu pai, o orgulho incomparável
de haver gerado as filhas mais destemerosas
que em qualquer tempo algum mortal pôde engendrar.
Sim, esta é a verdade quanto a todas nós,
porém de mim ainda mais, pois desprezei
fusos e lançadeiras só para aspirar
a feitos muito altos, dedicada à caça
com minhas próprias mãos às feras da floresta.
E está visível em meus braços esta prova,
que trago aqui, de uma coragem singular,
para ser vista nas muralhas da cidade.
Recebe em tuas mãos este troféu, meu pai!
Orgulha-te de meu feito nesta caçada
e chama teus amigos todos para a festa,
pois és feliz — sim, és o mais feliz dos pais! —
porque nossa proeza foi maravilhosa.

CADMO

Ah! Dor imensa! Ah! Espetáculo horroroso!
O sangue maculando tuas tristes mãos...
Eis a tua proeza!... É certamente bela
a vítima que acabas de imolar aos deuses,
em honra da qual tu nos convidaste, a mim
e a Tebas, para a festa comemorativa.
Choro primeiro por teu infortúnio enorme
e também pelo meu, pois na realidade
o deus, mais do que nos ferir com duplo golpe,
acaba de matar-nos, de nos extinguir,
ele, o divino Brômio, de nossa raça!

AGAVE

Como a senilidade torna o humor amargo
e tristes os contactos! Ah! Se Penteu fosse
bom caçador, tão valoroso quanto eu mesma,
acompanhando sempre seus jovens amigos
nas correrias em perseguição às feras!
Mas ele sabe apenas lutar contra os deuses!
É hora de adverti-lo. Ordena-lhe, meu pai,
que venha até aqui, diante de meus olhos,
para ser testemunha de minha ventura!

CADMO

Como sou infeliz! Ah! Mulheres de Tebas!
Quando recuperardes vossa lucidez
sofrereis atrozmente vendo o vosso feito!
E se deveis permanecer até o fim
no estado em que vos vejo, tenho de pensar
que se a felicidade vos abandonou
ao menos ignorais a vossa desventura!

AGAVE

Vês neste instante algo menos belo, ou lúgubre?

CADMO

Eleva teu olhar primeiro ao firmamento...

AGAVE

Ei-lo elevado; por que devo olhar assim?

CADMO

Ele é o mesmo, ou te parece diferente?

AGAVE

Agora vejo-o mais puro e mais brilhante.

CADMO

Perturba a tua alma o estupor de hoje?

AGAVE

Não te entendi ainda, mas já volto a mim...
Estou sentindo uma mudança em meu espírito...

CADMO

Queres ouvir-me e responder-me claramente?

AGAVE

Quero, meu pai, pois esqueci do que te disse.

CADMO

A quem te dei em casamento, minha filha?

AGAVE

Deste-me como esposa ao pretendente Equíon
(dizem que ele nasceu dos dentes do dragão).

CADMO

Que filho deste à luz no lar de teu marido?

AGAVE

Penteu; ele é o fruto de nossos amores.

CADMO

De quem é a cabeça que tens em teus braços?

AGAVE

É de um leão, a crer em minhas companheiras.

CADMO

Então observa-a e vê se a reconheces.

AGAVE

Ai! Ai de mim! Que vejo? Que tenho em meus braços?

CADMO

Torna a olhar, para teres maior certeza.

AGAVE

Como sou infeliz! Vejo uma dor enorme!

CADMO

Isto de fato se assemelha a um leão?

AGAVE

Não... Ai de mim!... Trouxe a cabeça de Penteu...

CADMO

... chorada por nós antes de a reconheceres!

AGAVE

Quem o matou? Como está ela em minhas mãos?

CADMO

À parte

Revelas-te tarde demais, triste verdade!

AGAVE

Fala! Meu coração palpita enquanto espero!...

CADMO

Tu mesma o degolaste com tuas irmãs.

AGAVE

Em que lugar ele morreu? Foi no palácio?

CADMO

Foi onde os cães um dia mataram Actáion[34].

AGAVE

Que foi fazer o infeliz lá no Citéron?

CADMO

Ele se opunha a Baco e às suas orgias.

AGAVE

Mas, como fomos nós parar naquele monte?

CADMO

Levou-te esse delírio teu e da cidade.

AGAVE

Agora compreendo... Perdeu-nos Dôniso...

CADMO

Negando que ele fosse deus o ofenderam.

AGAVE

E o corpo de meu filho amado, onde está?

CADMO

Mostrando os restos de PENTEU *trazidos por seus servos*

A duras penas o encontrei; está aqui.

AGAVE

Pudeste reunir decentemente, pai,
seus membros espalhados? Dize-me se sabes:
que teve a ver Penteu com a minha demência?

CADMO

Em seu desprezo pelo deus ele portou-se
tão loucamente quanto vós em vosso culto.
Num golpe só Dioniso nos envolveu
nessa desgraça única para arruinar
o meu palácio — sim, vós, ele mesmo e eu!
Privado de ter filhos homens — ai de mim!,
vejo este filho único que deste à luz
morto desta maneira horrível, deplorável!

Dirigindo-se aos restos mortais de PENTEU

Tu, para quem o palácio não se cansava
de erguer os olhos em busca de um protetor,
minha criança, tu, filho de minha filha,
temido pelos habitantes da cidade
a ponto de ninguém pensar em afrontar
este velho que sou sem receber na hora
a punição, só por ver o teu rosto enérgico,
morreste! Agora, sem a tua proteção
serei expulso infamemente do palácio,

eu, o famoso Cadmo, visto aqui outrora
semeando e colhendo a mais famosa messe
— a raça dos tebanos! Mais caro dos homens!
Serás contado, embora já não tenhas vida,
entre meus entes adorados! Nunca mais
acariciarás este meu velho queixo
com tuas mãos, nem me darás os teus abraços
chamando-me de pai de tua mãe, dizendo-me:
"Quem ousa te ofender ou ultrajar, meu velho?
Quem te perturba e te constrange o coração?
Dize, pois punirei quem te fez mal, meu pai!"
E agora sou um infeliz como tu foste;
merece lamentos sentidos tua mãe
e são infelicíssimas as irmãs dela.
Se ainda existe alguém que desafie os deuses,
diante dos restos mortais deste infeliz
comece a respeitá-los desde este momento!

CORIFEU

Partilho a tua dor; o filho infortunado
de tua filha foi punido justamente,
mas mesmo assim estás sofrendo muito, Cadmo!

AGAVE

Vês a mudança que houve em minha sorte, pai?
Ah! Se eu não tivesse manchado minhas mãos
com este crime!... Como poderei agora,
tão infeliz, ter a coragem de apertar
contra meus seios este corpo mutilado
no qual não tenho ânimo nem de tocar?
Que hino fúnebre poderei entoar?
Quero abraçar todos os membros de meu filho!...
Quero beijar também as carnes que nutri...
Ajuda-me, ancião, a ajustar ao tronco
deste infeliz sua cabeça ensangüentada!...
Recomponhamos, se pudermos, este corpo
até há pouco tempo sem rival na força...
Ah! Imagem querida!... Ah! Face tenra e jovem!...

Pondo um véu sobre os restos mortais de PENTEU

Vou ocultar com este véu tua cabeça
e teus membros desconjuntados e sangrentos
onde minhas unhas cavaram estes sulcos!...

Aparece DIÔNISO *suspenso no ar para subir aos céus*

DIÔNISO

Pecando por despeito e por brutalidade[35]
ele tratou injustamente um benfeitor,
encarcerando-o de maneira humilhante,
cobrindo-o de ultrajes. Esta foi a causa
da morte de Penteu pela mão de parentes,
ao mesmo tempo justa e contra a natureza.
Não deixarei de mencionar os grandes males
que o povo desta terra terá de sofrer.
Os ofensores deixarão esta cidade
para apagar a nódoa vinda do crime.
Eles não poderão permanecer na pátria!
Os assassinos nunca mais terão direito
de viver perto da tumba de suas vítimas.
Agora, Cadmo, eis as desditas que te esperam:
irás mudar de forma e serás um dragão,
e Harmonia, tua esposa, filha de Ares,
embora seja como tu um ser humano,
tornar-se-á um animal — uma serpente.
Afirma um oráculo que guiarás
com tua esposa um carro puxado por bois;
no comando de bárbaros destruirás
muitas cidades com um numeroso exército.
Mas quando teus subordinados saquearem
o templo sacrossanto de Apolo profeta,
eles recuarão num retorno funesto.
Pela graça de Ares, tu e Harmonia
conseguireis salvar-vos de grandes perigos.
Depois o deus transferirá vossa existência
para os domínios dos bem-aventurados.
Eu, de quem ouves hoje esta revelação,
não sou filho de criaturas deste mundo,
e sim de Zeus, pois sou Diôniso, um deus.
Se houvésseis, vós, tebanos, sabido guardar
em vossos corações a útil sapiência

(mas não quisestes), gozaríeis certamente
a aliança e a felicidade báquica!

AGAVE

Tem piedade! Ofendemos-te Diôniso!

DIÔNISO

Quando devíeis não me honrastes; já é tarde!

AGAVE

Compreendemos, mas teus golpes são duríssimos.

DIÔNISO

Fui ultrajado por vós todos, eu, um deus!

AGAVE

Deixem os deuses o rancor para os mortais...

DIÔNISO

Há tempo, Zeus, meu pai, fixou vosso destino.

AGAVE

O deus condena-nos ao triste exílio, Cadmo!

DIÔNISO

Por que tardais se são fatais minhas palavras?

CADMO

Abraçando AGAVE

Caimos num abismo onde só vejo males,
tu e tuas irmãs e eu — quanta desgraça!
Como simples intruso, eu, um ancião,

irei para terras longínquas dos bárbaros,
marcado pelos deuses para conduzir
uma horda confusa apenas de estrangeiros,
contra gregos iguais a nós, acompanhado
por Harmonia, minha esposa, filha de Ares,
transformada em serpente como eu mesmo, Agave.
Terei de dirigir as lanças contra os túmulos
e os altares dos gregos, e meu infortúnio
jamais terá um fim, e não repousarei
nem mesmo quando atravessar o Aqueronte[36]!

AGAVE

E eu, meu pai, irei sem ti para o exílio!

CADMO

Por que devo abrigar-me entre teus braços, filha,
como um idoso cisne de plumagem alva?

AGAVE

Mandada pelo deus para longe da pátria,
a que lugar me levarão meus passos? Dize-me!

CADMO

Não sei; é pouca a ajuda que te posso dar.

AGAVE

Adeus, palácio! Adeus, cidade de meus pais!
Deixar-vos-ei para seguir em direção
à desventura, expulsa do lar e do tálamo!

CADMO

Vai para a terra onde Aristeu perdeu a vida[37]!

AGAVE

Gemo por ti, meu pai!...

CADMO

E eu, filha, por ti!
Também lamento a sorte de tuas irmãs.

AGAVE

Diôniso, o rei, lançou sobre teu lar
impiedosamente um castigo horroroso!

DIÔNISO

Injuriastes-me impiedosamente!
Tebas negou as homenagens a meu nome!

AGAVE

Adeus, meu pai!

CADMO

Adeus, filha desventurada!
Será muito difícil tua salvação.

AGAVE

Dirigindo-se às mulheres do CORO

Levai-me! Conduzi-me até onde ficaram
minhas irmãs, desventuradas como eu
e minhas companheiras únicas de exílio!
Vamos até onde o Citéron execrável
não possa ver-nos nem meus olhos possam vê-lo,
lugares onde nada me faça pensar
em meus cortejos! Cuidem disso outras Bacantes!

Retira-se AGAVE, seguida pelo CORO, que sai cantando lentamente enquanto DIÔNISO desaparece nas alturas

CORO

A vontade de um deus tem muitas formas
e muitas vezes ele surpreende-nos

na realização de seus desígnios.
Não acontece o que era de esperar
e vemos no momento culminante
o inesperado. Assim termina o drama[38].

FIM

NOTAS ÀS *BACANTES*

1. A Lídia era uma região da Ásia Menor, rica em ouro e muito próspera na Antiguidade.

2. Bactriana: uma das satrapias da Pérsia. A Média também fazia parte do império persa.

3. Tmolo: montanha da Lídia e a região onde ela se elevava.

4. O Citéron é uma montanha que domina Tebas.

5. Báquio: um dos epítetos de Diôniso, além de Baco e Brômio.

5a. "Evoé" era um grito de júbilo das Bacantes (devotas de Baco). A expressão deriva de Évio, outro epíteto de Diôniso, e era a saudação ao deus em seu culto e suas festas.

6. Os Curetes eram gênios benfazejos que criaram Zeus na ilha de Creta.

7. Os Coribantes eram companheiros dos Curetes.

8. O rio Tmolo, situado na Lídia, corria num leito de areias auríferas.

8a. "Saber... sábio": mantivemos na tradução esta e outras repetições do original.

9. Baco: veja-se a nota 5.

10. Afrodite era a deusa do amor na mitologia grega.

11. As "célebres sementes" são os dentes do dragão, dos quais nasceram os Espartos (*spartoí*, "homens semeados"), os primeiros habitantes de Tebas, já crescidos e armados. O "estrangeiro" aqui é Penteu.

11a. Aqui Diôniso não é apenas o deus do vinho, mas o próprio vinho divinizado, que é oferecido em libações a outros deuses; estes, por sua vez, nos favorecem.

12. O jogo de palavras, intraduzível para o português, em grego é em torno de *hômeros* (refém) e *mêros* (coxa).

13. Ares é o deus da guerra dos gregos.

14. O "rio bárbaro" é o Nilo. Faros era uma das cidades do delta do Nilo.

15. Sardes era a principal cidade da Lídia (veja-se a nota 1).

16. Penteu *(Pentheús)* é derivado de *pénthos* (luto, dor).

17. Aqueloo é o rio mais longo da Grécia, tido como o "pai das fontes", inclusive Dirce, situada em Tebas. "Ditirambo", no verso 688, é um epíteto de Diôniso, significando "pomposo".

18. Os "montes Corícios" eram uma montanha muito alta na Cilícia. No verso anterior, Nisa: havia diversas montanhas com esse nome, ficando a mais famosa na Eubéia; outra situava-se na Índia, e também estaria ligada à lenda de Diôniso, cujo nome tem relação com Nisa.

19. Évio: veja-se a nota 5a.

20. Piéria: região situada na Tessália ou na Macedônia, onde as Musas se reuniam.

21. Áxio e Lídias são rios da Macedônia, onde os eqüinos eram famosos por sua beleza.

22. Varinha: o *nárthex* usado pelas devotas de Diôniso, talvez antepassado da "varinha mágica" ou "de condão" dos contos de fadas.

23. Íaco: outro nome de Diôniso.

24. Electra era o nome de uma das sete portas de Tebas.

24a. Somente mulheres usavam linho em suas roupas.

25. Aqui Hades significa as profundezas infernais, para onde iam os mortos.

25a. A repetição destes quatro versos (1177-1180) está no original (vejam-se os versos 1150-1153).

26. Inó: irmã de Semele e filha de Cadmo.

27. Pan era o deus da vida campestre e protetor dos pastores.

27a. "Cadelas céleres": a raiva canina, significando aqui a vingança.

28. As Gôrgonas eram três irmãs monstruosas, cujo olhar petrificava quem as via.

29. Equíon era um dos sobreviventes dos homens nascidos dos dentes do dragão semeados em Tebas por Cadmo. Os versos 1320-1324 são uma repetição dos versos 1295-1299.

30. O "ancião de Sídon" é Cadmo.

31. Ásopo: rio próximo a Tebas e ao monte Citéron.

32. O "estrangeiro" é Diôniso.

33. Os tríglifos eram ganchos ornamentais de ferro presos no topo das muralhas; neles se penduravam os troféus conquistados em guerras.

33a. Aristeu: filho de Apolo, casado com Autônoe, irmã de Agave. Ele teria morrido no monte Hemos, que separa a Trácia da Tessália. Actáion era neto de Apolo e um caçador famoso. Por ter visto Ártemis nua, foi transformado em veado e morto por seus próprios cães, açulados pela deusa.

34. Veja-se a nota anterior.

35. A partir deste verso e até o verso 1758 há várias lacunas nos manuscritos das *Bacantes*, preenchidos tentativamente pelos filólogos modernos com base em versos atribuídos a Eurípides na tragédia sacra *Christus Patiens*, atribuída a São Gregório Nazianzeno.

36. Aqueronte: o rio que os mortos tinham de atravessar para chegar aos infernos.

37. Veja-se a nota 33a.

38. Veja-se o final da *Medéia* de Eurípides, em nossa tradução publicada também por Jorge Zahar Editor, praticamente igual ao das *Bacantes*.

Trabalhos publicados por Mário da Gama Kury

1. *Dicionário de mitologia grega e romana,* Rio de Janeiro, Jorge Zahar, 7ª ed., 2003.
2. "O grego no 2º milênio a.C.", in *Revista Filológica* n.7, 1957.
3. Introdução à *Oração da coroa* de Demóstenes, na tradução de Adelino Capistrano, Rio de Janeiro, Edições de Ouro, 1965.
4. Introdução às *Vidas de Alexandre e César* de Plútarcos, na tradução de Hélio Veiga, Rio de Janeiro, Edições de Ouro, 1965.

Traduções do grego com introdução e notas

5. Aristófanes. *As nuvens, Só para mulheres, Um deus chamado dinheiro,* Rio de Janeiro, Jorge Zahar, 3ª ed., 2003.
6. Aristófanes, *As vespas, As aves, As rãs,* Rio de Janeiro, Jorge Zahar, 3ª ed., 2004.
7. Aristófanes, *A greve do sexo* e *A revolução das mulheres,* Rio de Janeiro, Jorge Zahar, 5ª ed., 2002.
8. Marco Aurélio, *Meditações,* Rio de Janeiro, Edições de Ouro, 1967.
9. Aristófanes, *A paz* — Menandro, *O misantropo,* Rio de Janeiro, Edições de Ouro, 1968.
10. Tucídides, *História da guerra do Peloponeso,* Brasília, Editora UnB, 3ª ed., 1988.
11. Aristóteles, *Política,* Brasília, Editora UnB, 1985.
12. Aristóteles, *Ética a Nicômacos,* Brasília, Editora UnB, 1985.
13. Políbios, *História,* Brasília, Editora UnB, 2ª ed., 1988.
14. Herôdotos, *História,* Brasília, Editora UnB, 2ª ed., 1988.
15. Diôgenes Laêrtios, *Vidas e doutrinas dos filósofos ilustres,* Brasília, Editora UnB, 1988.
16. Sófocles, *A trilogia tebana — Édipo Rei, Édipo em Colono, Antígona,* Rio de Janeiro, Jorge Zahar, 11ª ed., 2004.
17. Ésquilo, *Oréstia — Agamêmnon, Coéforas, Eumênides,* Rio de Janeiro, Jorge Zahar, 6ª ed., 2003.
18. Eurípides, *Medéia, Hipólito, As Troianas,* Rio de Janeiro, Jorge Zahar, 6ª ed., 2003.
19. Ésquilo, *Os persas* — Sófocles, *Electra* — Eurípides, *Hécuba,* Rio de Janeiro, Jorge Zahar, 5ª ed., 2004.
20. Eurípides, *Ifigênia em Áulis, As fenícias, As bacantes,* Rio de Janeiro, Jorge Zahar, 5ª ed., 2005.
21. Ésquilo, *Prometeu acorrentado* — Sófocles, *Ájax* — Eurípides, *Alceste,* Rio de Janeiro, Jorge Zahar, 5ª ed., 2004.

Outras traduções

22. Jacqueline de Romilly, *Fundamentos de literatura grega,* Rio de Janeiro, Jorge Zahar, 1984.

23. Sir Paul Harvey, *Dicionário Oxford de literatura clássica grega e latina*, Rio de Janeiro, Jorge Zahar, 1987.
24. Marcel Detienne, *A escrita de Orfeu*, Jorge Zahar, 1991.
25. J.V. Luce, *Curso de filosofia grega*, Jorge Zahar, 1994.